W9-AYF-258

José Emilio Burucúa

Cartas norteamericanas

Adriana Hidalgo editora

Burucúa, José Emilio
Cartas Norteamericanas. - 1ª. ed.
Buenos Aires : Adriana Hidalgo editora, 2008.
178 p. : il. ; 22x14 cm. - (Biografías y testimonios)

ISBN 978-987-1156-78-8

1. Relatos de Viajes. I. Título
CDD 910.4

biografías y testimonios

Editor:
Fabián Lebenglik

Diseño de cubierta e interiores:
Eduardo Stupía y Gabriela Di Giuseppe

Fotografías: José Emilio Burucúa

Córdoba 836 - P. 13 - Of. 1301
(1054) Buenos Aires
e-mail: info@adrianahidalgo.com
www.adrianahidalgo.com

ISBN 978-987-1156-78-8

Impreso en Argentina
Printed in Argentina
Queda hecho el depósito que indica la ley 11.723

Los Angeles, 10 de enero de 2006.

Querido amigo,[1]

dispuesto estoy ya a cumplir lo prometido, tras la partida de Aurora y con muchas horas de soledad, como hace tiempo no me ocurría (mi teclado inglés requiere demasiadas operaciones para poner los acentos correctamente, de modo que me permito agregar una comilla por delante de la letra que lleva la tilde).[2] Paso entonces a resumir lo ocurrido desde el 23 de diciembre en que llegamos a Los Angeles. Nos esperaba allí una amiga mía de la infancia, instalada en California en 1962, quien nos acompañó a buscar el auto que alquilamos, nos regaló buenos mapas y guías y nos invitó con un *espresso* en el Starbucks del Sheraton que nos supo muy bien después del menú de American Airlines. El aeropuerto conserva, a modo de reliquia, la torre de control de los 60, un edificio con la forma de un satélite artificial, gigantesco, tótem o símbolo de las ilusiones y sueños de la conquista del espacio. El auto era un Toyota con caja automática a la que me costó una o dos horas acostumbrarme sin apretar el freno en lugar del embrague inexistente. A eso del mediodía partimos hacia Barstow, una ciudad donde el camino se divide en la vía que va hacia Las Vegas, Nevada, y la que va hacia Arizona y luego al Gran Cañón. Tardamos unas tres horas en salir de la red de autopistas que cubren Los Angeles y sus vecindades: millones de autos mantenían una velocidad apreciable y constante en los cuatro o cinco carriles del *freeway* hasta Barstow. Tomamos la ruta a Arizona y entramos en el desierto por otra supercarretera, menos poblada de vehículos para estos estándares, pero comparable a nuestra Panamericana a media

[1] El autor firma las cartas como "Gastón", nombre por el que también se lo conoce.
[2] La grafía ha sido corregida. [N. del E.]

tarde en un día de semana. A las cinco era de noche y decidimos parar en Kingman, ya en Arizona. El motel resultó limpio y espacioso, la comida, una mezcla insufrible de ensalada con aliño presuntamente francés, un toque de pasta italiana y algún ingrediente mexicano. Un asco de verdad, pero no me pareció que fuera ocasión de alarmarse pues Kingman es una ciudad chica y provinciana. En ese restorán, vimos los primeros obesos de una larga serie, pero no gorditos a la criolla, obesos dignos del *Guinness*. La ruta seguía recorrida por cientos de faros que iban y venían, un espectáculo muy bonito en la noche del desierto, aunque allí nos dimos cuenta de la razón principal de la guerra en Irak: sin el petróleo barato y de acceso ilimitado, parece muy probable el colapso de esta sociedad cuyo bienestar, cuya dinámica, cuyo imaginario reposan más que nada sobre la movilidad, la rapidez y la sensación de autonomía que proporciona el automóvil.

El día 24 recorrimos unas 125 millas y llegamos al Gran Cañón del Colorado. Nuestra excitación fue compartida. Hacía frío pero el cielo era azul intenso, sin nubes, y los colores cálidos del cañón bajo la luz del sol contrastaban como si se tratase de un cuadro del *Deus pictor*. Nos quedamos horas yendo de un *point view* al otro, hasta que empezó a bajar el sol y un color violeta azulado, muy frío, empezó a subir desde la profundidad de esa hendidura enorme en las rocas y, poco a poco, ganó el borde más alto de la meseta. Cuando el sol desapareció, milagro, el cañón recuperó los tonos ocres, naranjas y rojizos y apenas permaneció un velo azulado que se hizo cada vez más tenue a medida que la noche uniformaba y ennegrecía todo el paisaje. Traté de recordar las lecciones del *Trattato* de Leonardo y las de Goethe en su *Farbentheorie*; creo que allí están las explicaciones de los fenómenos cromáticos que intenté transcribir. Pero la cena de Navidad, tanto o más horrible que la comida del día previo en Kingman, arruinó un poco la jornada, porque de verdad me alarmé entonces. ¿Qué comeríamos de allí en adelante para evitar esa sensación de alimentarse sin el mínimo placer del paladar o, mejor dicho, con el *arrière-goût* de lo nauseabundo? La perspectiva de quedarme solo a partir del 10 de enero, sin mi mujercita para suavizar el shock gastronómico mediante sus artes capaces de hacer sabrosas las piedras, me consternó al punto de provocarme un dolor

Gran Cañón del Colorado (de Mather Point), Arizona

de cabeza de esos machazos como si hubiera pasado un día entero en la playa haciéndome el canchero.

Por fortuna, la mañana me infundió esperanzas nuevas. Según dice bien Aurorica, el desayuno es la mejor comida de estos países anglosajones. Así fue, en efecto, y al mismo tiempo la visita a una casa hopi, el reencuentro con el viaje de Warburg, la pintura de arena de los navajos y la última vista al cañón me llenaron de entusiasmo. Efecto que acrecentó el toparme con algo inesperado en el camino, que había sido un *topos* de mi niñez, en aquellos tiempos el dique más alto y más grande del mundo: el Hoover Dam, levantado en una garganta del río Colorado entre Arizona y Nevada (lo había visto con lujo de detalles en *Esto es Cinerama*). Impecables los materiales, el concreto, el metal de las turbinas, el hierro de los elevadores. La escultura monumental de un trabajador, en cobre y acero, más los seres alados de los mástiles que adornan el área ceremonial del conjunto, recuerdan sin esfuerzo las grandezas del cine y el impulso de los años del *New Deal*. Ir del Gran Cañón (que, entre paréntesis, no tiene más de siete a cinco millones de años) al Hoover Dam había sido pasar de las inmensidades de la prehistoria americana, de la energía primitiva de los indígenas, a la modernidad expansiva y prometedora del Nuevo Mundo industrial, capitalista y obrero a la par, a la Norteamérica buena de los proyectos gigantescos destinados a dominar la naturaleza, del Hollywood sonoro, de las *musical comedies*, de Mickey Mouse, alejada de las dictaduras sombrías de Europa, pero lista y preparada a intervenir allí cuando fuese necesario y aplastar para siempre a los enemigos de la libertad y del progreso humanos. En medio de tales consideraciones, bastó que recorriera la primera gran curva del camino e ingresara de lleno en Nevada para que se me apareciese de golpe la Norteamérica posmoderna en la versión más absurda de estos días. Contra el horizonte enorme de la altiplanicie de Nevada, se erguía un casino de varios pisos, de estilo neo-colonial, con muros de ladrillo y el perfil del techo a la manera de los edificios de la época de la Independencia: un bodoque ridículo, rodeado de palmeras, un *parking* y unos letreros luminosos que empezaban a encenderse porque llegaba la noche. El riesgo enaltecedor de la lucha con las fuerzas de la tierra, que había dominado el trasfondo de la empresa titánica de levantar una barrera al agua, de crear un lago artificial, de extraer de allí algo semejante a la potencia del rayo, era suplantado entonces por el riesgo pavote y la descarga de adrenalina que produce la bolita vacilante alrededor de una ruleta, el famoso *coup de dès qui n'abolira jamais le hasard.* Se presentía además la ciudad de Las Vegas porque, a partir de ese sitio, la ruta se ensanchó y se abrió paso entre galpones muy pulcros y casas que remedan la famosa Tara de *Lo que el viento se llevó*, si bien sus materiales de construcción son conglomerados de maderas y de plásticos, pulcra y vistosamente pintados de colores pastel, rosa, amarillo, gris claro tonalizado, celestón. De pronto, avistamos la mole dorada y brillante del Hotel Mandalay Bay en el extremo de la autopista, iluminada por el sol del ocaso, flanqueada por un aeropuerto que, enseguida comprobamos, está pegado al Las Vegas Boulevard, en el corazón mismo de una de las ciudades más estrafalarias que hayamos conocido. Pero te cuento nuestra vida allí en la próxima carta.

Te aclaro que el libro de Calvino ha sido lo mejor que podías haberme regalado para entender mejor estos lugares por donde viajo. Italo fue mi guía de perplejos en cada momento del itinerario.

Un abrazo,

Gastón

Los Angeles, 11 de enero de 2006.

Carissimo,

no sé realmente cómo describirte Las Vegas con unas pocas frases que tengan algo de gracia. Me temo que lo que ocurre es que no hay *grazia, graziosissima grazia secondo diceva il Vasari*, que pueda asociarse con Las Vegas, porque si aquella categoría de la estética y de las costumbres elegantes en la Italia de Castiglione se refería

Hotel New York New York, Las Vegas, Nevada

a un largo trabajo, a una penosa artificialidad en la construcción del yo que pareciese paradójica y absolutamente natural, pues, en esta ciudad de timba y hoteles temáticos, el todo no sólo revela sin atenuantes el artificio que está por detrás, sino que busca adrede que como tal se perciba, a la manera de copia más perfecta, limpia y pulida en su apariencia que el propio original. De tal suerte, la París del Hotel París despliega en un conjunto apretado, aunque de gran tamaño, comparable al de las construcciones reales, todos los *highlights* de la Ciudad Luz: la torre Eiffel, la Ópera de Garnier, el Arco de la Estrella. El Hotel Venecia propone un paseo en góndola, un cafecito en el Florian, una excursión al Rialto, en una Venecia limpísima y perfumada con buenas marcas de desodorante, casi de perfume francés. El Hotel New York New York, por su lado, reúne apiñados los perfiles de los rascacielos más importantes de Manhattan, de manera que uno puede elegir un cuarto en las imitaciones del Empire State, del Flatiron o del Chrysler Building, y acceder a sus interiores por una rampa que reproduce el puente de Brooklyn o bien rodear una Estatua de la Libertad, hecha de buen plástico verdoso, resistente al sol, a las diferencias de temperatura y al viento del desierto. Me chocó, en verdad, leer en el pretil de esa estatua ficticia, junto a las alabanzas de New York escritas por grandes personajes –Whitman, Emerson, Adlai Stevenson, el propio Georgie Boy, quien nos guste o no es el presidente de un tiempo de tribulaciones para los norteamericanos–, la tontería chata de un lugar común desgranado por Laura Bush. Más me encrespó, según podrás imaginar, la verificación de que el ejemplo peronista ha cundido por el planeta entero.

Sigamos con el *tour* de los hoteles. Mientras que el Bellagio pretende ser una síntesis de los palacios italianos del Renacimiento y del Barroco y consigue al menos ofrecer un hotel con aires de paquetería, la palma del disparate se la lleva el Luxor, donde, por supuesto, nos alojamos, para apurar hasta el fondo la copa de la locura. El Luxor es una pirámide más grande que la del propio Keops, con pilonos, estatuas a escala, salas hipóstilas, obeliscos en su interior. Las habitaciones se distribuyen en las cuatro caras de la pirámide y, para subir hasta ellas, no hay que tomar un ascensor, un *elevator*, sino un *inclinator*, que lo lleva a uno por la pendiente de 30° de las aristas del edificio. La sensación es muy rara, de leve mareo y opresión junto con una cierta ingravidez, de ser aquel cuerpo puntual de los experimentos ideales descriptos en el libro de Fernández y Galloni, sometido al paralelogramo de las fuerzas. Las habitaciones tienen camas, armarios, hasta esas almohadas de madera (a elección) que son réplicas de los objetos desenterrados de la tumba de Tutankamón por Howard Carter. Claro que lo verdaderamente alucinatorio, lo que te hace reventar de risa, es la esfinge *natural size* que te espera por delante de la pirámide, cuando dejás el auto para que te lo acomode el *valet parking* o cuando llegás en el *tramway* que conecta el Mandalay Bay con el Luxor y, me olvidaba, con el Excalibur, un castillo medieval de fantasía de torres blanquísimas y chapiteles de colores intensos, saturados, igual que los colores de una miniatura, si bien en una escala digna de Gargantúa. Tené presente, por otra parte, que los espacios interiores comunes de los hoteles están ocupados milímetro a milímetro por ruletas, mesas de bacará y *chemin de fer*, maquinitas tragamonedas, pantallas de apuestas de carreras de autos, galgos, caballos, y lo verdaderamente alarmante si se piensa en el futuro, lo que escandalizó a Aurora y a tres generaciones de antepasadas vivas en su espíritu, es la presencia constante de niños que revolotean en los pasillos entre esos juegos siniestros para adultos, entre esas caras y personajes salidos de una novela de Dostoievski, o son llevados allí por sus padres en cochecitos, en moisés, en mochilas. A pesar de que un cartel, sobre el mostrador principal de cada hotel, reza que el Estado de Nevada prohíbe la concurrencia de menores de edad a las salas de juego. Ni qué decirte que la obesidad de los parroquianos es el esquema corporal prevaleciente, unos símiles de hipopótamos o paquidermos, quienes en la Argentina serían gordos fenómeno, de esos que alguna vez asoman al café de un barrio perdido.

A menudo se me ocurre que visito este país por primera vez, con 40 o 45 años de retraso, que habría sido fantástico recorrerlo cuando joven, a fines de la década del cincuenta, que habría caído entonces presa de la fascinación producida por el despliegue de una energía todopoderosa, por la certeza en la realización de una esperanza sin límites. La Norteamérica del Hoover Dam, de la fuerza que derrotó a Hitler y a los japoneses en un teatro de la guerra extendido por el mundo entero, de la conquista de las inmensidades infinitesimales del átomo y de los años luz del espacio. Ahora, en cambio, me tocan estos Estados Unidos desgarrados entre una cultura y una existencia centradas en el petróleo que se extingue (la civilización del automóvil) y una cultura que busca su núcleo en la vida virtual del *entertainment* y de las relaciones interpersonales construidas, cada vez de modo más excluyente, a través de las computadoras y de los aparatos electrónicos automáticos: desde la compra del mercado hasta el revelado de las fotografías digitales de nuestras fiestas de familia, las actividades cotidianas no necesitan –para ser programadas o para ser cumplidas– de ningún intermediario humano, les basta con una pantalla asociada con un programa informático, que cualquier niño aprende a manipular en cinco minutos mediante secuencias escuetas de ensayo y error. Pero, en otras ocasiones, pienso que aquellos Estados Unidos, aquella América pura, inocente y pujante de Mickey Mouse, encerraba también dentro de sí el cáncer de un racismo feroz, práctico y cotidiano. Sospecho que, en ese plano, el de las relaciones sociales auténticas, no enmascaradas ni ocultas, la nación norteamericana actual tiene varios éxitos para exhibir, aunque haya retrocedido en la convicción sincera y colectiva respecto de la superioridad de sus fines y valores. Los negros, los hispanos, los amarillos del Lejano Oriente, son cada día ciudadanos más próximos a los hijos de los WASP –más parecidos a quienes todavía se ven a sí mismos como descendientes de los constructores del país– en materia de ejercicio eficaz de sus derechos y de realización de sus posibilidades de cambio y progreso. La prédica y la muerte de Martin Luther King no han sucedido en vano. Entonces, me digo que me habría bastado una chispa de ingenio en los cincuenta para desencantarme con rapidez durante algún viaje hipotético a Norteamérica. Ahora, procedo a partir del desencanto y hallo que nuestro viaje transcurre por una tierra inmensa, abierta a la expectativa de concreción de una sociedad nueva y mejor que las ya conocidas.

Sin embargo, hubo en Las Vegas algo maravilloso y fuera de serie. Fue el espectáculo *Zumanity*, preparado y actuado por Le Cirque du Soleil: un relato o, mejor dicho, una serie de cuadros y alegorías que trazan el mapamundi de la sexualidad humana. Al principio, me resultó chocante que un travesti desfachatado y musculoso hiciera el papel de maestro de ceremonias de semejante tratado viviente de erotología, de esa suerte de *Orlando Furioso* adaptado a la vida tecnológica de la modernidad tardía. Pero, al final, la fascinación de los bailes, las acrobacias, las destrezas, la música especialmente compuesta para el *show* y la simpatía indiscutible del travesti, lograron que me allanase a cuanto veía. El cuadro que más me atrajo fue el de una muchacha semidesnuda, que hacía equilibrio sobre una especie de larga túnica (la ninfa warburguiana, ¡cuándo no!) y que era perseguida por un trapecista enano, un atleta fenomenal hasta la cintura, ágil, fuerte y hábil al punto de prenderse de la tela y levantarse a metros del suelo, gracias al solo efecto centrífugo que le imprimía la rotación del paño. Pensé en una Piéride esquiva a la luz de la luna, cortejada por un sileno o un fauno. Le Cirque du Soleil aúna las acrobacias de volatineros y de juglares del circo clásico, las prácticas gimnásticas sublimadas de la danza expresionista y los efectos asombrosos de la tecnología de la luz y del movimiento. Verlo es una experiencia increíble de memoria de los circos de nuestra infancia y de anticipación de lo que la técnica futura del espectáculo será capaz de hacernos sentir. Seguramente Le Cirque du Soleil habrá fascinado a Fellini, si acaso lo vio, y supera con holgura cualquier truco del cine actual, por rebuscado que sea.

El 26 de diciembre partimos de Las Vegas hacia el Valle de la Muerte, otra vez en California. En un tramo de pocas millas, no más de cien, bajamos desde una altura de 2.000 metros hasta una depresión de 90 metros bajo el nivel del mar, entre la meseta de Nevada y la sierra de ese mismo nombre, que alberga picos, como el Monte Whitney, de 5.000 metros, y volvimos a subir a una altura equivalente a la del punto de partida. No más de hora y media nos llevó ese baja y sube y el atravesar un valle cubierto de arena, tan árido y tan feroz como el Sahara, aunque, en este caso, América condensa la vastedad, la aridez, las soledades y el silencio africanos en apenas unas millas. Habíamos regresado, por un tiempo muy breve, el de un auto veloz sobre un camino corto, a la edad primitiva

Valle de la muerte, California

que había dominado nuestra sensibilidad durante un día entero en el Gran Cañón.

De cómo nos alojamos en la pequeña ciudad de Ridgecrest y luego pasamos al parque nacional de los secuoyas, te lo contaré en la próxima carta. Un abrazo, saludos a Alicia y a Mercedes, abur.

G. B.

Los Angeles, 13 de enero de 2006.

Egregio,

hoy debería proseguir con nuestras aventuras en la Sierra Nevada de California, pero ayer ocurrió un hecho relevantísimo que no puedo dejar de contarte. Fui a un *party*, mas a un *party* con todo: la inauguración del Museo y de la Villa Getty restaurada en Malibú. Estaba el *tout* Los Angeles, *scholars, trustees, fundeers, bankers, movie stars, staff members of the Getty, artists*, en un marco de loca belleza: esa *villa*, que reproduce uno a uno la Villa Adriana en Tívoli, claro que no en ruinas sino como imaginan los arqueólogos que debió ser, un edificio que materializó el delirio del rico petrolero que era el señor Paul Getty –y se creía, sospecho, con bastante razón de su parte, una especie de emperador romano–, pues bien, esa *villa* se veía iluminada en medio de una selva mediterránea, de pinos marítimos de Roma, cipreses de Toscana, naranjos de Sicilia y, al fondo, el océano, el mar como una masa oscura y calma bajo la luna. Te juro que entendí por qué Homero llamó "negro" al mar. Pasamos de un atrio al otro, con sus *impluvia* y sus *compluvia*, hasta la alberca famosa rodeada por una columnata, poblada de copias de estatuas antiguas hechas en un metal negro a prueba de inclemencias (total, las versiones "originales" de que disponemos eran también reproducciones romanas de esculturas griegas, qué más da copiarlas una vez más y quizá mejor desde el punto de vista de la conservación y del efecto estético, pues nos contemplan con unos ojos desorbitados, hechos de incrustaciones de cristales coloreados, y sus miradas perturban, por cierto). Las paredes del muro de circunvalación de la alberca están pintadas "a la pompeyana" pero, si se observa bien, brota enseguida el juego paródico y posmoderno de la cita engañosa, del trampantojo, que es ilusión duplicada, metailusión.

En medio de estas consideraciones, rumiadas en silencio, nos internamos por las salas del museo, donde hay piezas únicas del arte grecorromano: copas de mármol que conservan la policromía de origen en el interior (el púrpura, el azul de Egipto); vasijas de figuras negras y rojas, casi intactas, la mayor parte de ellas excavadas en la región de Crimea, porque parece que los príncipes escitas habían quedado prendados de la cerámica griega y compraban las ánforas, los *lekitoi*, los aríbalos por decenas; Zeus y otros dioses o diosas monumentales; un Hércules colocado en una pieza circular, cuyo pavimento es un rosetón abstracto, de esos que desarrollan un juego óptico de circunferencias concéntricas y triángulos curvos que se agrandan o achican según como se los mire. Y en la sala dedicada precisamente a las cerámicas, a los objetos de bronce y plata donde se han identificado escenas de los viajes de Ulises, amén de un papiro minúsculo con un fragmento de la *Odisea*, ¿a quién me encuentro?... Al mismísimo Carlo Ginzburg. Casi no podía yo hablar de la emoción. Por suerte, estaba Charles Salas allí cerca y, sabedor de mi admiración por la obra de Ginzburg, se acercó a nosotros y dijo: *May I introduce to you José from Argentina*? Carlo me reconoció de inmediato como el autor del libro en que, desde el título general, su nombre aparecía gloriosamente asociado con el de Aby Warburg. Fueron mis cinco minutos de fama, a la Warhol, y nada menos que en Malibú. El asunto era de película. Y Aurora que no estaba a mi lado. Mi suegra, desde el jardín de Abraham, hubo de echar sapos y culebras, si es que eso está permitido a las almas benditas en el otro mundo, por el abandono de mi persona que perpetró su hija justo en tales instantes de apoteosis. Y bien, nos trasladamos enseguida al primer piso, sobre la terraza que da a los techos de la *villa*, donde comimos y bebimos a la manera de Trimalción, aunque con más elegancia y menos escándalo que el liberto. Yo manduqué en exceso, me parece, porque una señora muy refinada, sentada a mi lado, me dijo, entre risueña y soprendida, "*but, my dear friend, you are always restarting your dinner*". "*As a matter of fact*, le contesté, *yes, I am*". De sorbo en sorbo y bocado en bocado, conocí a un hombre sensacional, el viejo y sabio profesor Henry Hopkins, quien dirigió el MoMA de San Francisco con asombrosa apertura de mente y espíritu. Por suerte, tal cual sabrás por una carta próxima, yo había visitado con Aurora aquel museo diez días antes, de manera que le pude decir cuánto me había gustado la colección, nada excesiva en número, pero intensa en la calidad y amplia en la variedad de las piezas, con tantos cuadros de primer orden pintados por artistas latinoamericanos: Rivera, Matta, Kahlo, Lam.

En síntesis, *it was a wonderful and gorgeous evening*. Y Aurora, en pleno estío, en ese agujero que ya ni siquiera es peronista, ahora es... kirchnerista. ¿Te das cuenta de la decadencia? *Anyway*, por estos lares, no sabría decirte si lo vivido fue una burbuja espléndida y perfumada, que el día que explote dejará sentir su olor a rancio petróleo, o si dentro de mil años habrá en el risco de Palisades una ruina duplicada y tan espléndida como la de Tívoli. *Quanta Malibu fuit, ipsa ruina docet* (los latinazgos vienen de perlas tras semejante inmersión en la Antigüedad resucitada).

Un abrazo y hasta la que viene,

G.

Los Angeles, 14 de enero de 2006.

Caro,

habíamos dejado el hilo del relato en nuestra llegada a Ridgecrest, una ciudad pequeña al sur del Valle de la Muerte, en un territorio bastante más acogedor que el lugar de donde procedíamos, aunque así y todo muy cerca de Ridgecrest, tuvimos que atravesar un pueblo semifantasmal, Trona, a orillas de un lago salitroso, donde descubrimos una fábrica gigantesca a la que no había afectado, evidentemente, la conversión estética que sufrieron los edificios industriales en el filo de 1970. Es decir, nada de esos materiales limpios y de texturas ópticas atrayentes, como ciertos enchapados de madera, acrílicos o fórmicas de buena calidad y colores vivos, que hicieron más agradable la visión de las instalaciones fabriles. El establecimiento de Trona nos recordó, más bien, el aspecto militante, despojado, agresivo, de la industria característica de los países europeos entre 1945 y 1965, un estilo arquitectónico que hizo gala de cierta precariedad o desaliño para exhibir la rapidez con que las construcciones destinadas a albergar la producción masiva de máquinas y bienes de consumo debían ser levantadas en el clima de reconstrucción urgente de la segunda posguerra. Supimos más tarde que, en Trona, se elaboraba soda y otras sustancias químicas ligadas a la fabricación y teñido de los textiles. La impresión fue idéntica a la experimentada, once años atrás, cuando vimos, en medio de un bosque encantador de Transilvania, una planta de extracción y purificación del mineral en los yacimientos de hulla y lignito de los Cárpatos. Trona y Transilvania compartían a la distancia la contaminación, el gigantismo mecánico, el olor nauseabundo, en paisajes que sugerían algo muy opuesto a tales efectos reales de una industrialización sin control.

Ridgecrest resultó apacible, con su calle larga y ancha como una 9 de Julio, donde a distancias que sólo pueden recorrerse en auto, se desparramaban dos o tres centros comerciales de dimensiones gigantes, varias estaciones de servicio, restoranes y moteles. Quisimos estirar las piernas e ir caminando del motel en el que nos alojamos a un supermercado que nos parecía al alcance de la mano, en el lado opuesto de la bocacalle. Lo cierto es que nuestra obstinación nos dejó exhaustos, porque ir y volver a pie nos llevó bastante más de una hora, la megatienda no estaba cerca, recorrerla fue lo mismo que transitar por un Harrod's desplegado sobre un plano horizontal único y, luego, cruzar dos veces la calle principal del tipo de los bulevares insumió sus largos minutos de espera, hasta ver destellar la silueta blanca del paso libre concedido a los peatones, una señal que no se mostraba nunca o lo hacía con tal rapidez que era necesario parar en cada refugio. En la escala minúscula de Ridgecrest, comparada con ciudades grandes como Las Vegas o Los Angeles, Su Majestad el automóvil nos recordaba su predominio. Por suerte, al día siguiente nos esperaba una ruta que empezó siendo pintoresca en las curvas de un camino en caracol que faldeaba el extremo sur de la Sierra Nevada, y acabó en la majestuosidad envolvente de los bosques de secuoyas. Aurora se mareó bastante en las cornisas y hubo que apagar el pasadisco, provisto como iba de música selecta de Bach, Pachelbel, Stammitz, Quantz, Haydn, Mozart, Paganini, Debussy, ocho discos de guitarra, flauta y violín clásicos, que habíamos comprado en la supertienda de Ridgecrest por apenas 20 dólares. Yo andaba casi enajenado, al compás del volante y su vaivén, en ese paisaje arcádico de alturas bajas, cercados, vegas, al son de esas piezas que los autores de las selecciones habían a propósito elegido para arrobar al oyente, y por eso me percaté tarde de la palidez de Aurora. Había sido presa fácil de una operación *kitsch* bastante sutil e indirecta: velocidad, dominio del auto, seducción musical, *scenic views*. Pensé que tal vez hubiera en toda secuencia imaginable de la vida en California la ocasión diaria de experimentar momentos de ilusión cinematográfica. *California, here we gooo... here we aaare!!*

Alrededor de las tres de la tarde, pasado ya el malestar de Aurora, entramos en el parque de las secuoyas y elegimos recorrer una cornisa de 17 millas para internarnos en la selva fría de los Gigantes. Secuoyas habíamos visto durante buena parte de la jornada, el tronco rojizo y erguido, las copas concentradas en la cúspide del árbol. Hasta entonces no muy diferentes, en cuanto al tamaño, de un pino o de un cedro grandes, pero un rasgo ya nos había llamado la atención y es que los troncos de las secuoyas mantienen su anchura robusta hasta el extremo superior, no hacen como las otras coníferas, que afinan paulatinamente el tronco y terminan en punta. De pronto, cuando la altitud se manifestaba en las primeras acumulaciones de nieve, vimos tres ejemplares impresionantes de secuoyas delante de nosotros. Una mano y la otra del camino pasan por los espacios que separan a esos seres inmóviles, pero no estáticos, por cuanto la idea de una explosión vital en ellos se nos impuso como cuando vimos las ballenas que nadaban en el Golfo Nuevo (recién casados entonces; ahora íbamos a cumplir, en sólo tres días, 35 años de matrimonio; en un Citroën de dos caballos en aquel tiempo, hoy en un Toyota munido de guía satelital que me permitía una identificación gozosa con el James Bond de *Goldfinger*). Pienso que la combinación de factores, de recuerdos y de percepciones asombrosas del presente nos hizo sentir con una energía y una juventud inesperadas. Simbólicamente, nos ahogábamos de felicidad en la savia de los Gigantes, tanto que, más que sacar una foto, me acerqué a uno de ellos y besé su corteza. Mi pequeñez allí movía a risa, si bien no por un efecto grotesco, consecuencia de la disparidad absurda de nuestras dimensiones relativas. Bien podría haber sido eso pero se trataba de una invasión irresistible de felicidad, inducida por el color vívido del tronco, por el contraste entre ese rojo ferroso intenso y el verde de las copas a más de 50 metros de altura, por la textura de la corteza, por la cercanía y la multiplicación inabarcable de los Gigantes. El más alto que alcanzamos a ver, el Centinela, tiene unos 90 metros y poco más de 2.000 años de existencia. A su lado, un *board* muy inteligente colocó sobre el piso una larga banda de piedra que funciona a la manera de una proyección del árbol, así que es posible caminar sobre ella y tener la sensación física de las dimensiones de su tronco. (Los anglosajones se toman muy en serio la cuestión de cómo transmitir por medio de una experiencia directa e inmediata el conocimiento de las cosas. Los dos Bacon no pasaron en vano. Recuerdo que tuve impresiones semejantes en un museo de Cambridge, cuando me invitaron a pasar unos días en su casa de *scholars* visitantes los infortunados y muy queridos Dorita y Enrique: por primera vez entendí cómo funcionan los mecanismos de escape de los relojes frente a una maqueta sencilla y agrandada del engranaje y la palanca que los componen). Sin embargo, no llegamos a la mayor de todas las secuoyas, el General Pershing (todos los colosos han sido bautizados con los nombres de militares célebres de las guerras que pelearon los norteamericanos), un anciano de casi 3.000 años, que habrá nacido a la par del sapientísimo Salomón. El Pershing está

El Centinela, Sequoias and Kings Canyon National Park, California

a más de 30 millas del Centinela, se hacía de noche, era necesario volver a un camino de cornisa y yo temía que me sorprendiera una nevada sin cadenas en el auto.

Bajamos como si volásemos, no por la velocidad, que no podía superar las 25 millas por hora, sino por el entusiasmo que nos habían insuflado las secuoyas. No nos detuvimos hasta Fresno, una ciudad de medio millón de habitantes pero, en el fondo, nada más que un Ridgecrest multiplicado y con un anillo de autopistas. Según decían, el *downtown* se transformaba en territorio peligroso después del horario de trabajo y durante todo el día en los *weekends*. Por lo tanto, un Ridgecrest socialmente más evolucionado, es decir, volcado hacia la desarticulación y la inhabitabilidad de lo que habrá sido, alguna vez, el embrión de un espacio público. Este runrún se convertiría en evidencia unos días después, un domingo en el *downtown* de Los Angeles. Ya te contaré. Un abrazo,

Gastón

Los Angeles, 20 de enero de 2006.

Querido amigo,

tus respuestas me han dado impulso y ánimo para seguir el diario. El viaje de Fresno a San Francisco fue inesperadamente corto, de manera que al mediodía del 28 de diciembre atravesamos los dos tramos del Bay Bridge y volvimos a sentir el entusiasmo tecnológico, modernista, que nos había producido el Hoover Dam. Los puentes colgantes de vigas y tensores de acero nos parecieron un símbolo de la nueva *romanitas*, como los puentes de arcos y los acueductos en piedra lo son de la vieja. Claro que, en San Francisco, la espectacularidad mecánica e ingenieril ingresa de inmediato en un contrapunto elegante con la belleza urbana, producto de la unión de factores dispares. Otra vez el paralelo con la antigua Roma: una ciudad cuya *venustas* es resultado de las *varietas et concinnitas* de sus calles y edificios. Renace de tal suerte el ideal de Vitruvio.

Por un lado, el alarde de las torres del Financial District, no demasiado altas debido a la memoria del terremoto de 1905 y a su probable repetición en el futuro, pero dotadas de una fantasía que no sólo se expresa en el color sino en las formas de los rascacielos. Por ejemplo, el más emblemático de la última era de la ciudad, erigido a comienzos de los 90, adopta la figura inédita, a la par de evocativa, de una pirámide de base estrecha, fundida con un paralelepípedo muy alargado en el sentido de la vertical que, sin esa combinación con la pirámide, resultaría un absurdo constructivo amén de una estructura peligrosamente inestable. ¿Te imaginás una especie de pilar cuadrado en el que la altura sería unas veinte veces o más la longitud de un lado de su base? La pirámide ensancha la plataforma de sustentación y, gracias a su pendiente audaz de unos 70°, no engulle el paralelepípedo, sino que le otorga estabilidad, al mismo tiempo que se presenta ella como síntesis del edificio, punto final (por ahora) en la parábola de las posibilidades arquitectónicas de la pirámide y de la idea de una escalera al cielo, iniciada hace 4.500 años en Sakkara, en el monumento funerario del rey Zoser. Antítesis también del delirio faraónico del hotel Luxor en Las Vegas.

Por otro lado, las construcciones monumentales de los 30 en Market Street, decoradas con motivos hispánicos neocoloniales o fórmulas del *Art-Déco*, a las que la presencia de grandes negocios de ropa, de muebles, de antigüedades u objetos de arte, de librerías y papelerías artesanales de calidad superlativa, otorga un *glamour* comparable al de la Quinta Avenida de New York o al del Boulevard Saint-Germain en los tiempos de las películas de Bette Davis, Claude Rains y Greta Garbo (pensamos en *Ninoshka*, sobre todo).

En tercer lugar, el Barrio Chino engarzado entre *Market* y el *downtown* financiero, conjunto pequeño, no muy limpio, ruidoso, abarrotado de bazares que, abiertos e iluminados día y noche, rebalsan de porcelanas, adornos, joyas y sedas del Lejano Oriente. Nosotros conocemos el original, esto es, Beijing, Hong Kong, Macao, y, sin embargo, volvimos a caer en la tentación del embeleco y en la memoria de las presuntas mentiras del *Milione*.

San Francisco, California

Chinatown, San Francisco, California

En cuarto lugar, el Muelle de los Pescadores, al que llegamos por la diagonal de *Columbus Avenue*, señalizada aquí y allá cada tanto con un cartel que reza: *Cristoforo Colombo*, para advertirnos que ingresamos al área de las influencias italianas y mediterráneas cuyo punto culminante es, precisamente, el muelle (Fisherman's Wharf), sus restoranes de pescados y mariscos, su museo de cera sobre las estrellas del cine y sobre el *jet-set* norteamericano, las réplicas de las tiendas del Barrio Chino donde nos llamaron la atención unos grupos escultóricos de bronce patinado, de esculturas muy naturalistas y expresivas, que representan niños o muchachos jóvenes en el acto de jugar, de acariciar a un perro, de hacerse arrumacos. Luego descubriríamos que estas figuras suelen colocarse en los balcones, en los atrios, en las verandas de las casas de familia de los barrios burgueses más acomodados –Marina District o las Presidio Heights, a las que se sube por la calle Lyon, hecha de escaleras y jardines en buena parte de su recorrido–, y que la multiplicación de las estatuas metálicas no perturba ni se vincula con el ilusionismo *kitsch* que nos aplastó en Las Vegas, según podría pensarse al verlas en los negocios del *wharf*. Al contrario, las esculturas no resultan artificiosas en esos sitios e impregnan de una cierta nostalgia a la ciudad, igual que si se tratase de amables fantasmas materializados de los tiempos idos.

Tanta era nuestra excitación que tiramos las valijas en el hotel y abandonamos el auto en el *parking* por todo el tiempo que estuvimos en San Francisco, pues la ciudad puede recorrerse a pie, en autobús y en subterráneo, a pesar de sus dimensiones. Se puede sacar un abono para todo el transporte, que incluye las entradas a cuatro grandes museos y un viaje en barco hasta el Golden Gate. Enseguida conseguimos los *tickets*, nos lanzamos a la primera nave surta en el muelle y salimos a navegar, guiados a través del altoparlante por un individuo graciosísimo, quien actuaba de capitán Nemo y contaba anécdotas legendarias sobre cada punto de la costa: los fondeaderos en la bahía; la Roca de Alcatraz que circundamos, sus presos famosos, los intentos fallidos de evasión; la isla Angela, donde los inmigrantes, especialmente los chinos, solían pasar meses de humillación y privaciones antes de ingresar en el territorio libre de los Estados Unidos. Al fin, bogamos bajo el Golden Gate, entramos unos metros en el océano y dimos la vuelta. Tuve que esperar casi hasta el fin del viaje para que el puente, de tan largo, entrase completo en el objetivo de la máquina y pudiese yo sacar la foto que quería. Tan pocos elementos tiene ese coloso, tan vasta es la distancia entre los pilares, tanta su altura y tanta la gracia de las proporciones, que lo hacen semejante a un ente de la naturaleza. Pero es una obra magnífica del ingenio humano, del esfuerzo colectivo, de la búsqueda de la utilidad y la belleza. Tuve la sensación caprichosa de una correspondencia íntima entre el Golden Gate y las secuoyas.

Al volver al puerto visitamos el Acuario, construido a partir de un tubo sinusoidal de vidrio donde uno se mete y recorre por debajo del agua una pecera enorme, llena de ejemplares de las especies marinas que viven en la bahía. En Darling Harbour, Sydney, habíamos visto un acuario muy parecido y ese recuerdo nos llevó a pensar que, en rigor de verdad, San Francisco, Sydney y Valparaíso son ciudades con un gran aire de familia; el Pacífico, el diálogo entre el mar y las elevaciones construidas en la costa, las interrupciones constantes de la red urbana de calles y avenidas que dan paso a un risco o se asoman al vacío, las herramientas mecánicas de gran envergadura con las que se doblegan las distancias y los desniveles, son seguramente los hechos físicos que las emparientan, además, por cierto, de la coincidencia en la época (1880-1930) de sus primeros despliegues de edificios, jardines y espacios públicos, bajo la égida de un academicismo arquitectónico que, no obstante su carácter normativo de base, no desdeñaba la fantasía ni las innovaciones técnicas y ornamentales en torno a 1910.

El que las atracciones de los días que transcurrimos en San Francisco fuesen principalmente museos contribuyó a que nos creyésemos en Europa. Visitamos primero el Palacio de las Bellas Artes, vecino al *Marina District* y al comienzo de la gran área de parques que rodean el extremo sur del Golden Gate: un pabellón estilo *Beaux-Arts* construido para la Exposición Internacional de 1915 donde se aloja el Exploratorium, museo de ciencia y tecnología. Me pregunto qué países habrán hecho envíos a esa Exposición,

Golden Gate, San Francisco, California

celebrada cuando Europa se hallaba empeñada en la Primera Guerra Mundial. Sería interesante explorar la participación argentina. Apuesto a que existió una misión de nuestro país, quizá tan rica como la que concurrió a la Exposición de Saint-Louis en 1905. Será necesario preguntar a Laura Malosetti, ella sabe *de omni re scibili* sobre esos eventos. Lo cierto es que el Exploratorium nos decepcionó porque, si bien alberga un centenar de experimentos esenciales para el progreso en todas las ciencias de la naturaleza, desde la física hasta la biología y el estudio del clima, la participación del visitante en cada experimento es demasiado libre y caótica, de manera que se ve a niños de poca edad, quienes juegan con los instrumentos de forma arbitraria, sin conseguir ningún efecto significativo ni concluir lo que se supone debería ser el precipitado científico de la experiencia. A decir verdad, es millonaria la inversión en máquinas, en reproductores y proyectores de imágenes, en panelería, pero no se advierte el aprovechamiento de la participación por parte del público que sí despunta de inmediato en otras instituciones del mismo tipo en Europa, más reguladas, menos libres que la norteamericana, pero muy eficaces en cuanto a sus resultados pedagógicos. Me refiero al Museo de Historia Natural en Knightsbridge, Londres, al Palais de la Découverte y a La Villette en París o, cumbre de todos estos museos, al Deutsches Museum en Munich, donde es posible descender, entre muchas cosas asombrosas, a una mina reconstruida a 30 metros bajo tierra, caminar por las galerías y conocer directamente los procesos de extracción y elaboración de los minerales. A partir de los años ochenta hay en la Argentina un intento de hacer algo parecido, en el Centro Recoleta. El embrión de museo científico-tecnológico fue bien pensado por personas como Horacio Reggini.

Del Exploratorium nos dirigimos al Palacio de la Legión de Honor, un edificio suntuoso en medio de los jardines del Parque Nacional del Golden Gate. Menuda sorpresa nos llevamos al toparnos a la entrada con varias reminiscencias porteñas, pues flanquean la entrada del palacio dos estatuas ecuestres que aluden al honor festejado en el lugar. Una es la figura de Juana de Arco y la otra es el Cid Campeador, réplica exacta de la que está en el ingreso a la avenida Gaona en Buenos Aires y que seguramente reproducirá, a su vez, un monumento en España. Hay también un vaciado en bronce de *El pensador* de Rodin, en el atrio del palacio, y adentro una colección importante de piezas de ese escultor, más que nada *Las tres sombras*, colocadas bajo una cúpula e iluminadas de modo de acentuar el dramatismo de las figuras. Nos sucedió en ese museo lo mismo que a Italo Calvino, cuando se topaba con cuadros o estatuas famosos en museos del *Middle West* y decía: "¡Caramba, estaba aquí!". Porque se nos aparecieron no sólo los Rodin sino las pinturas del viejo y la vieja, hechas por La Tour a comienzos de su carrera, un Guercino y un Preti de los emblemáticos, una escultura excepcional de Riemenschneider. Y asimismo, tuvimos la dicha de ver bien dos autores, vislumbrados alguna vez, pero ahora, gracias a los ejemplos estupendos de sus obras en San Francisco, incorporados a nuestra memoria artística: Oudry, pintor de un trampantojo fascinante, y Raeburn, retratista escocés en el filo del 1800.

Del MoMA de San Francisco, ya te dije algo y podemos seguir adelante. Si bien, ligado al MoMA, a pocos metros de la entrada, se abre un espacio de fuentes y cortinas de agua que componen un *memorial* de Martin Luther King, un homenaje adecuado a un hombre de pensamiento transparente, calmo, sonoro y ojalá fertilizante, que todo ello sugieren aquellas cascadas. El Dr. King se lo merece. Seguimos caminando por Market Street hasta alcanzar la Plaza de las Naciones Unidas, frente al solar donde se fundó la organización al final de la Segunda Guerra. Aquel espacio es el refugio de los más desarrapados *homeless* y drogadictos del *downtown*. Aurora estaba algo asustada. Sin embargo, fue emocionante ver, al fin de la explanada que forman los obeliscos con las inscripciones de los países miembros de la ONU, el monumento a Simón Bolívar, otra réplica, esta vez de la estatua mayor del prócer en la plaza principal de Caracas. No está nada mal la idea de poner a Bolívar al comienzo de una línea monumental que prosigue en el conjunto dedicado a los pioneros californianos y culmina en la cúpula dorada del Town Hall. Don Simón se convierte en un símbolo de la libertad americana, conseguida por medio de un esfuerzo y de un combate agotadores, a la par de inconclusos, paradigma de la

Town Hall, Los Angeles, California

América emancipada y batalladora que, al fin de cuentas, entre 1942 y 1945, fue una garantía de que la civilización europea había engendrado los retoños para la victoria sobre sus propias fuerzas oscuras en el Viejo Mundo. Ahora bien, recorrimos apenas unos metros y descubrimos el edificio del Museo de Arte Asiático, pero cuál no sería nuestro asombro al encontrar, a un costado del museo, una estatua bellamente cincelada de... Asurbanipal. En la base, una placa que contiene los detalles de su inauguración en 1988 (¿habría entonces un representante diplomático del gobierno de Irak? Recuérdese que la administración norteamericana se inclinaba en esos tiempos por Saddam Hussein y lo apoyaba en la pelea contra los ayatoláes de Irán). Una segunda placa transcribe una inscripción asiria en la que el rey se vanagloria de haber conquistado el mundo conocido y haberlo llevado a la concordia y a la paz. ¿Qué significado político tendrá todo esto sino el del *paragone* entre los Estados Unidos y Asiria? Varios días más tarde, cuando fuimos a Hollywood y salimos del Kodak Theatre, veríamos que la plaza entre esa sala y el Renaissance Hotel está adornada por unas columnas gigantes en cuyo tope se levantan los elefantes de Intolerance y por unos arcos donde aparecen relieves asirios –las figuras de Gilgamesh, de los hombres alados y de los antropoides con cabeza de pájaro que llevan una piña en la mano. En la misma jornada, rumbo a la casa de una vieja amiga en Yorba Linda, a un costado de la autopista que va del *downtown* de Los Angeles a esa localidad, divisamos un supermercado de cuadras y cuadras de largo, coronado por los toros alados de Khorsabad. Un enigma, al fin, ¿por qué este entusiasmo de los norteamericanos hacia Asiria al filo del 2000? No quisiera pensar que hay una relación con la guerra en Irak. ¿O sí la hay?

Sigo con el Museo de Arte Asiático, tan completo y tan bien armadas sus salas, que nunca aprendí tanto sobre las artes de la India, de China y de Japón. También, para el caso, vale el asombro de Calvino. ¿De modo que el camello de cerámica vidriada y coloreada, las esculturas de los genios iracundos del mismo material, hechas en la época T'ang, que no vimos en China, estaban aquí? Había una muestra especial de biombos japoneses del siglo XVIII que nos reveló los avatares de una revolución de la pintura que ignorábamos por completo, un vuelco radical en la representación de los paisajes respecto de los cánones de la tradición, una prueba de interés, nunca visto antes en esa civilización, hacia lo risueño y lo grotesco en la vida de los hombres, existencia enmarcada por la belleza superior de un mundo natural hecho de colores y texturas perfectas en movimiento. Algo notable sucedió luego. Fuimos caminando hasta la ópera y regresamos por Market Street hasta las tiendas Nordstrom, un negocio gigante del estilo de Harrod's. Cuando entramos en la rampa helicoidal del *shopping*, oímos una música de tango a toda máquina: Arolas, Gardel, Canaro, Piazzola. En el cuarto piso, cerca de veinte parejas, muy versadas en la cuestión del baile canyengue, evolucionaban entre los maniquíes y hacían gala de sus habilidades, comparables a las de cualquier compadrito en un bailongo de San Cristóbal los viernes a la noche.

Finis coronat opus por el día de hoy. Hasta la próxima,

G.

Los Angeles, 21 de enero de 2006.

Gentilissimo,

la noche que pasó tuve un contacto extraordinario con la realidad política de los Estados Unidos que bien merece hacer un alto en el *Iter Americanus Septentrionalis*. Llegué al *housing* y decidí mirar la tele un rato. Di sin querer con una emisión desde San Francisco de la representante por California, Nancy Pelosi, demócrata que llegó a ser, según creo haber entendido, la cabeza de esa bancada en la cámara, y que ahora ha resuelto dar cuenta directa a sus electores, en una ronda de mitines, de su acción en el Congreso y de sus

Kodak Theatre, Hollywood, Los Angeles, California

puntos de vista sobre los problemas más acuciantes de la sociedad norteamericana.[3] El programa era precisamente la transmisión de uno de tales encuentros, en el salón de actos de una High School. El tema, la seguridad del pueblo y la guerra de Irak. Nancy arrancó con una diatriba contra Bush y las violaciones sistemáticas de los *checks and balances* entre los tres poderes instituidos por la Constitución desde finales del siglo XVIII. Los funcionarios de la administración actual se rehúsan a presentar sus explicaciones ante el Congreso (los famosos *hearings*, que no sólo preceden la designación de jueces y embajadores, sino que han de rendir los secretarios del Ejecutivo ante los legisladores en cada oportunidad que se los convoque) o bien, cuando lo hacen, se muestran esquivos, menosprecian a los miembros de ambas cámaras y se escudan en razones de seguridad nacional para negar las informaciones que los comités de representantes o senadores les exigen. Por otra parte, la señora Pelosi destacaba de qué manera los paniaguados del presidente y una parte de la prensa que le era adicta se habían dedicado a denigrar, calumniar y poner en duda las fojas de los servicios militares en Corea y Vietnam de todos aquellos políticos o voceros de la opinión pública que criticaban las políticas del Ejecutivo, cuando el propio presidente no tenía una foja que fuese maravilla, más bien al contrario, el joven Georgie Boy había esquivado el bulto como el mejor caradura a la posibilidad de ser un héroe y un patriota en Vietnam.

Nancy pasó a la cuestión de la guerra y dijo que se advertía la carencia de cualquier tipo de planificación militar o política. Aparte, por supuesto, de que los justificativos para emprenderla se habían revelado falsos de toda falsedad. Los soldados norteamericanos en el frente estaban desprotegidos por la insuficiencia del equipamiento y, al regresar a casa, se percataban de que nada había sido previsto para su bienestar físico y espiritual en calidad de veteranos de una guerra dura y feroz. Por ello, nuestra representante se mostraba entusiasta con la propuesta escrita realizada por el representante

[3] El triunfo demócrata en las elecciones de noviembre de 2006 ha consagrado a Nancy Pelosi como presidenta de la Cámara de Representantes de los Estados Unidos. *Good for us!*

Murphy, un *statement* que establece los pasos conducentes a un retiro ordenado y racional de las tropas en Irak. En cuanto al tema básico del mitín –la seguridad de los norteamericanos–, la situación era escandalosamente grave. El comité que había examinado las responsabilidades en la tragedia del 11 de septiembre había producido una serie de comentarios y recomendaciones, absolutamente ignorados por la administración. Los miles de millones gastados en cuatro años desde aquella fecha no mejoraron un ápice la seguridad del pueblo, es más, la empeoraron al crear un nido de terroristas donde no existía, esto es, Irak. Nancy Pelosi sostuvo que el problema número uno para los Estados Unidos y el mundo entero radica en la proliferación de armas nucleares y que sobre ese punto habrían de aplicarse los esfuerzos de un gobierno norteamericano decente. La señora Pelosi entendía que, con una parte de lo gastado en la guerra, habría bastado para comprar y destruir todo el arsenal atómico que circula clandestinamente en el mundo.

Después del *speech*, empezaron las preguntas y las manifestaciones de protesta del público. Una porción significativa de la gente exigía un pronunciamiento explícito de su representante acerca de un retiro inmediato de las tropas. Varios militantes se instalaron frente al estrado desde el que hablaba Nancy y desenrollaron sus pancartas pacifistas. La dama ni se inmutó, les dijo "*Hello*", que le parecía bien que expresaran de ese modo su opinión, que podían quedarse allí mientras continuaba el interrogatorio de los electores, cosa que ese auditorio, en su mayoría jóvenes mujeres, hizo sin pestañear. Aprovechó entonces la señora Pelosi para decir que entendía la urgencia de la demanda pero que, al mismo tiempo, en su calidad de representante del pueblo norteamericano, no podía apresurar una medida que terminaría instalando una división profunda y tal vez irreparable en el corazón de la sociedad norteamericana. Por eso mismo, descartó los pedidos de comprometerse en la promoción de un *impeachment* del presidente y dijo que la defenestración de ese gobierno debía transcurrir por las vías electorales previstas en la Constitución. Algo que me asombró fue la circunstancia de que Nancy insistiera, una y otra vez, en que un programa serio de reformas y acciones en el campo de la seguridad, así como un examen desapasionado, crítico y objetivo de la marcha del gobierno, no sólo era el nudo de la agenda del Partido Demócrata, sino que había comenzado a serlo en la agenda de muchos legisladores republicanos. El rechazo de una prórroga indefinida de los aspectos más controvertidos de la *Patriot Act*, es decir la delegación de poderes de arresto preventivo en manos del presidente y sus funcionarios, demostraba hasta qué punto existía una convergencia potencial de ambos partidos en la defensa de los sabios *checks and balances* de la Constitución.

Quiso la buena suerte que cambiase de canal y fuese a parar a un programa del International Council of Los Angeles en el que hablaba, también frente a un público vasto que hacía preguntas y emitía opiniones, un tal Scott Ritter, ex inspector de las Naciones Unidas, norteamericano él, quien había actuado en Irak antes de la guerra y había prestado testimonio de que no existían allí armas de destrucción masiva que amenazasen al pueblo norteamericano o a sus aliados (léase Israel). El hombre lanzaba sapos y culebras, no únicamente contra Georgie Boy y su banda, sino contra los demócratas y el senador Kerry en especial, con quien él aseguraba haber hablado ya en el año 2000 en torno a las intenciones agresivas, irreversibles, del *team* de los Bush respecto de Irak. Información reiterada ante Kerry en 2003 sin que el senador, candidato a la presidencia en las elecciones de noviembre de 2004, hiciera el mínimo uso de esos datos en su campaña. "Creo –dijo Ritter– y esto es una opinión absolutamente personal, que el senador Kerry es un perfecto cobarde". Así las cosas, me aparté del exaltado y, conducido nuevamente por la fortuna, vi aparecer en pantalla una entrevista, lúcida y seria en su planteo, al senador Hutch, republicano por Nebraska, uno de los más críticos dentro de ese partido al gobierno de Bush. Crítico porque al buen norteamericano de 1787, al *friend of freedom* que hay en su corazón, le resultan inaceptables las torturas en Abu Graib y en Guantánamo, los actos de espionaje sin autorización judicial realizados sobre ciudadanos norteamericanos en territorio de los Estados Unidos, la falta de rendiciones periódicas de cuentas y la calumnia ejercida contra la moralidad y el honor cívico-militar de los opositores al gobierno. El señor Hutch, no obstante los insultos y amenazas que dijo recibir en su casilla de *mails* (fue acusado de ser "senador de Francia" en lugar de representante de un estado auténticamente norteamericano), descargó artillería pesada, más bien en contra del vicepresidente Cheney, a quien aborrece manifiestamente, que sobre la cabeza del Ejecutivo, a la que tiene por mal aconsejada.

En fin, *graditissimo*, tuve una larga y exaltante lección de cómo funcionan la democracia y el régimen de la libertad desde hace 230 años en este país. ¿Qué tal un cursito acelerado (bastaría con mirar la tele unas cuatro horas el día adecuado en Los Angeles) para nuestros políticos en la Argentina?

Un abrazo grande y la próxima arrancará con nuestro último día en San Francisco, si la tele no me distrae otra vez,

G.

Los Angeles, 29 de enero de 2006.

Querido amigo,

perdón por el largo silencio. Ocurre que tuve tanto que leer y estudiar para estar al día con las intervenciones de los colegas en el seminario general, que hube de interrumpir mi diario de viaje. El día 31 de diciembre, pues, estábamos en San Francisco e hicimos varios viajes en el subterráneo metropolitano, a la espera de asistir a los festejos populares en los muelles. Nos dirigimos primero hasta la misión franciscana, que fue el esbozo inicial de población a la europea en los alrededores de la bahía, instalada por fray Junípero Serra para evangelizar a los ohlones. Se conserva aún la capilla original con tres retablos de fines del siglo XVIII e imágenes estupendas de los santos principales de la orden. Al lado hay una iglesia tres veces más grande, de estilo neo-colonial hispanoamericano que, francamente, los curas y la ciudad podrían habernos ahorrado. Pero, como decía mi querido profesor de Florencia, Carlo Del Bravo, "è terribile, Giuseppe, è terribile", "ma che cosa professore?", "Quello che puó

Capilla del siglo XVIII, altar lateral, Misión de San Francisco, San Francisco, California

Misión de San Francisco, San Francisco, California

fare il *kitsch* eclesiastico". Tal cual en este caso, donde el contraste se ve reforzado escandalosamente por el hecho de que, tras cruzar un cementerio, recoleto y pequeño, uno se topa con el negocio de los *souvenirs* y entonces se produce, otra vez, el milagro de seguir creyendo en Jesucristo a pesar de su Iglesia.

Volvimos a tomar la línea subterránea y partimos hacia el otro lado de la bahía, a la ciudad de Berkeley, donde recorrimos el *campus* semidesierto por causa de las vacaciones y de la víspera del Año Nuevo. Sin embargo, a pesar de ver apenas unos pocos estudiantes que se dedicaban a vivir sus exaltados amoríos con sus *partners*, pudimos tener una buena idea de lo que significa aquello: vida universitaria en el más alto sentido que pueda imaginarse. Los laboratorios de física y química albergan más de una decena de premios Nobel; los departamentos de letras y humanidades, escritores y *scholars* famosos. Los jardines, por donde toda esa gente y sus alumnos suelen pasear, son un vergel, incluso en pleno invierno, y se descubren a cada paso, en el prado o entre los árboles, esculturas de Moore, de Tinguely, de Oldenburg. La biblioteca es un palacio a la Inigo Jones, presidido por un busto pulcro e imponente de Minerva y poblado de estanterías de libre acceso a todos los lectores. Salvo las ediciones raras que se encuentran ubicadas en la reserva, el resto de las colecciones están al alcance de quienquiera que acredite su condición de estudiante, de profesor o de invitado especial. Un par de mamparas magnéticas en el ingreso basta para que nadie pueda salir con un libro sin haberlo registrado en el escritorio de préstamos domiciliarios (un 85% de los volúmenes son, no sólo de libre acceso, sino de libre circulación interna y externa; las excepciones, los libros de la reserva y las obras mayores de referencia). Por supuesto que juntar y leer todo el material allí se me presentó de inmediato como un sueño, que se haría realidad días después en el Instituto Getty en Los Angeles. A decir verdad, lo que me pareció algo extraordinario es común y corriente en las universidades y bibliotecas públicas de los Estados Unidos, según comprobé enseguida al entrar en las *public libraries* de la propia comuna de Berkeley, en la de Santa Mónica o en la del barrio de Brentwood, donde vivo ahora. ¿Me querés explicar por qué c... no tenemos nada, ni siquiera de lejos, semejante a un sistema de bibliotecas como este en la Argentina?. Para no hablar de una absurda, demencial comparación entre Berkeley y... Puán, o la UBA en general, que haríamos únicamente a modo de sátira desenfrenada. Ya sé todo lo que vas a decirme, pero todavía no me resigno ni me explico la razón de que un proyecto que funcionaba bastante bien, como el de la Universidad de La Plata, a manera de ejemplo, haya ido a dar al traste por completo a partir de los años 70.

Después de varias horas de recorrida, dejamos el *campus* y entramos en una lechería típica de los 50, de esas donde pasaban cosas, sobre todo a las chicas como Virginia Mayo, Jane Russell, Maureen O'Hara, Laureen Bacall y otras beldades que me sorbían el seso, o bien donde Victor Mature resolvía a tiros, sin quererlo ni buscarlo –pobre gigante inocente, prefiguración sublime de *Governator*–, algunas diferencias de criterio surgidas durante un *Sábado violento*. Pedimos una leche malteada, por supuesto, más un panqueque de *jam*, y pusimos a funcionar la vitrola de colores. Queríamos sentirnos en la América arquetípica y bonachona de Disney, de Danny Kaye, Jerry Lewis. Se nos hizo algo tarde al volver a San Francisco y tuvimos dificultades para regresar en ómnibus al hotel, de modo que no cenamos gran cosa y llegamos a tiempo al muelle para ver quince minutos de unos fuegos artificiales espectaculares a las cero horas del día 1° de enero de 2006. (En verdad, habíamos tenido una cena fantástica la noche anterior, en el festejo de nuestros 35 años de matrimonio: comimos en un lugar muy simpático de la Columbus, "The scenting rose", esto es, La rosa maloliente, llamado así porque lo cocinan todo con cantidades considerables de ajo y, a pesar de eso, las pastas saben a gloria. Lanzado al desenfreno, llegué a compartir con Aurora una suerte de mini-*bagnacauda* antes del plato principal y, de postre, me despaché un sorbete doble con mucho champagne. Era una noche feliz).

El primer día del año, dejamos San Francisco y emprendimos la vuelta a Los Angeles. Pero dimos un rodeo hacia el Golden Gate, antes de tomar la ruta 1 que bordea el océano. Atravesamos el puente y fuimos a Sausalito, una ciudad de veraneo, rica y llena de encanto, al norte de la bahía, desde la que se tiene una vista estupenda de San Francisco. No paraba de llover y, no obstante, aquello

Escultura de Henry Moore, Universidad de Berkeley, California

Biblioteca, Universidad de Berkeley, , California

resplandecía. Volvimos a pasar el Golden Gate, viaje que no me importaría hacer cotidianamente, de ida y vuelta, para admirar dos veces en 24 horas esa construcción sobre el mar. La ruta 1 dibuja la línea zigzagueante de la costa y, en menos de dos horas, llegamos a Carmel, donde teníamos nuestro alojamiento. Me empeciné en ir a pie hasta la misión del Carmelo, un edificio también del siglo XVIII, mejor conservado que la misión de San Francisco en cuanto a su entorno, al que no pudimos entrar por ser 1° de enero. Una lástima, habríamos visto la tumba de fray Junípero. Hacía frío y volvimos a buscar el auto para dar algunas vueltas por Carmel, la ciudad de la que Clint Eastwood fue alcalde. El *downtown* es un pañuelo, pintoresco, un lugar de riqueza y buen gusto, igual que Sausalito. Hay varios restoranes de primera. Nos decidimos por uno italiano y comimos como reyes, la *pasta ripiena* estuvo exquisita. Nuestra moza, una estudiante de cocina, quedó prendada de nuestro magnífico "acento italiano".

Al día siguiente no amainó el temporal. Insistimos, sin embargo, en transitar por la 1, sobre el océano que invadía la carretera. De cualquier forma, viajamos sin dificultades entre unos paisajes de película. Planeábamos visitar el castillo del señor Hearst, pero un corte de electricidad en la zona, provocado por la tormenta, obligó a cerrar el castillo a los visitantes. Seguimos viaje hasta Santa Bárbara, ciudad de palmares en la playa, con un boulevard muy vivaz, tan solo uno, State Street, donde se agolpan restoranes y negocios de todo tipo, una librería Barnes & Noble entre ellos, que me dejó estupefacto, porque podría haberme comprado, sin complicaciones salvo el dinero, cien libros de la bibliografía más actualizada sobre cualquier rama del saber humano. En Santa Bárbara, que equivale a decir Necochea, pongamos por caso. En la mañana del 3 de enero, terminamos nuestro primer periplo norteamericano con el regreso a Los Angeles. Karen Sexton, funcionaria del Getty, nos recibió con gran amabilidad en el *housing* de Brentwood, destinado a los *scholars*, y nos entregó las llaves de un departamento muy cómodo, del que Aurora tomó posesión de inmediato. Karen nos llevó al supermercado, hicimos las compras y Aurora cocinó una comida *casalinga* que llenó de olores agradables y familiares el departamento. En pocas horas más, un microbús del Getty me dejaría en el *prodromos* del instituto, cuyas maravillas te referiré en la próxima carta.

Antes de terminar esta, te cuento dos cosas más. La primera, que falleció hace pocos días, a los 81 años, la mayor asirióloga del país, la Dra. Erica Reiner, quien trabajó 40 años en el diccionario más exhaustivo y completo de la lengua asiria que haya existido nunca. El proyecto fue sostenido por el National Endowment for the Humanities. Ignoro si semejante inversión tiene algo que ver con el interés algo estrafalario de los norteamericanos por Asiria, que te comenté en una carta anterior, pero no deja de admirarme el hecho de que un país tan alejado en tiempo y espacio de la Mesopotamia haya comprometido recursos importantes en investigaciones serias y fundamentales sobre las culturas remotas de ese lugar. Sospecho que hay bastante más que una necesidad imperial en el asunto. Hay un gesto civilizatorio, si bien es posible que imperialismo y civilización sean las caras de una misma moneda, tal cual lo pretendió don Antonio de Nebrija en el prólogo a la *Gramática* de 1492. La segunda cosa es oscura, se refiere a una noticia aparecida en el *New York Times*, de la que supe hace un tiempo y de cuya veracidad me convenció el verla publicada, negro sobre blanco, en ese diario. Un tal Andrew Jones, dirigente de una asociación de ex alumnos de la UCLA, ofrece por Internet pagar 100 dólares al alumno que le provea grabaciones de clases dictadas por profesores de esa Universidad, en las que se advierta el predominio de una actividad atentatoria contra los ideales y valores norteamericanos. El gran cabrón posee ya una lista de colegas a los que ha denominado los Dirty Thirty. ¿Deberé desdecirme de mi respetuoso asombro ante las opiniones de opositores a la administración Bush que he visto en la televisión? Un *scholar* que vive al lado de mi casa, Stephen, me ha dicho que nunca en su vida sintió tanta aprensión ante un gobierno de los Estados Unidos. como le sucede ante el actual. Stephen es un tipo de humor fino, paradójicamente un especialista en Benjamin, pensador trágico y sombrío por excelencia. Cuando se trata de Bush y de su política, a la que asigna un perfil fascista sin titubeos, mi amigo es dominado por una especie de compulsión y se le ocurren las cosas más divertidas y extravagantes para ridiculizar al presidente. Mis

Cementerio. Mon. de Junípero Serra, Misión de San Francisco, San Francisco, California

cuentos sobre los largos parlamentos de Chávez le han permitido sentirse aliviado de que Georgie Boy no imite, ni sea capaz de hacerlo por carecer en realidad del don de la elocuencia, los programas de los domingos del colega venezolano.

Bueno, estimadísimo, suficiente por hoy. Un abrazo,

G.

Los Angeles, 10 de febrero de 2006.

Estimado amigo,

el Centro Getty es, para mí, un sitio único, ya que nunca tuve la experiencia de algo semejante. La Biblioteca Nacional de Francia, su equivalente de Madrid, la biblioteca de la Universidad de Cambridge y la del Instituto Warburg en Londres han representado otras tantas versiones del paraíso de los libros en mi vida, pero en ningún caso he tenido a mi disposición, como ahora aquí, esta cantidad de textos e imágenes que, por otra parte, llegan a mi escritorio antes de dos horas de haberlos pedido y, si tengo mucha ansiedad y urgencia, puedo también ir a buscarlos personalmente al anaquel y registrarlos yo mismo en el *thesaurus* de mi oficina. Suponés bien que casi siempre me inclino por la segunda opción, porque el operativo me permite además ejercer ese voyeurismo delicioso de espiar los volúmenes vecinos al buscado y, de tal modo, abandonarme a un azar tan productivo que no parece tal, sino un destino misterioso que me lleva de tema en tema y a concebir relaciones nunca antes pensadas (o así lo creo hasta que algún erudito me demuestre lo contrario). De este modo, me topé con un ejemplar extraordinario de una *Germania*, de un geógrafo y anticuario alemán de los primeros años del siglo XVII (ahora no recuerdo el nombre, pero te lo diré en la proxima carta, ya que buscar la ficha interrumpiría el flujo de mi entusiasmo o me llevaría a otros caminos de los que enseguida te daré ejemplos). El sabio de marras recibió un encargo de la Universidad de Leyden, aparentemente inspirado por el gobierno de las Provincias Unidas, con el estipendio correspondiente para dedicarse *full time* al asunto durante varios años (por algo esa gente nos lleva siglos de ventaja que cada día nos empecinamos en agrandar para nuestra vergüenza y desmedro), una misión pues que consistía en redactar una *Germania* y una *Italia* acerca de los orígenes de ambas naciones tan centrales en la historia europea. La República holandesa, muy joven, prácticamente una niña todavía en el concierto de la política moderna, querría conocer aquellos ejemplos clásicos de cómo nacen los pueblos y desarrollan sus instituciones, sus costumbres, sus religiones, hasta convertirse en sociedades y estados poderosos. Lo cierto es que nuestro colega remoto produjo un estudio exhaustivo de los celtas y germanos primitivos, iluminado obviamente por el modelo de Tácito (la edición de 1616 va acompañada del texto completo de la *Germania* escrita por el romano a manera de introito), aunque de una modernidad inesperada en cuanto al relativismo y al comparativismo antropológicos con que expuso las características de la cultura bárbara. La obra contiene unos grabados magníficos en *taille-douce*, que me hicieron dar un respingo apenas empecé a revisarlos: aquellos hombres y mujeres representados como salvajes, no me cabían dudas de que se parecían, a veces como gotas de agua, a los retratos de los americanos que De Bry había diseñado y publicado poco tiempo antes (1601, si mal no recuerdo) de la aparición de la nueva *Germania*. Decidí mirar un poco mejor el libro y me puse a leerlo. Cuánta fue mi felicidad cuando di con la frase clave en la que nuestro autor declara sin tapujos hasta qué punto los relatos y representaciones artísticas sobre los americanos, sólo entonces conocidos, le habían sido útiles para salvar tantas lagunas respecto de los antiguos germanos y también para imaginar, sobre una base empírica accesible y confiable, cuál pudo ser el aspecto de sus vestimentas, de sus habitaciones, de sus armas e insignias. Y en ese instante comenzó la deriva warburguiana: yendo hacia atrás, De Bry me remitió a Stradano, el pintor y grabador flamenco que trabajó para los Médici entre 1560 y 1570 y publicó, bajo los auspicios del florentino Aloysio Alamanni, una colección de estampas llamada *Nova Reperta*, es decir, Nuevos hallazgos, donde Vespucci, en el acto de descubrir una América alegorizada bajo los rasgos de una ampulosa mujer bárbara desnuda y tendida sobre una hamaca, alterna con escenas de la fabricación de pólvora, del armado de relojes y brújulas, del cultivo y el tejido de la seda, de la cura de la sífilis, en una palabra, de las novedades de la vida moderna. Por un lado, la mujer de la hamaca y los compañeros caníbales que se divisaban en el fondo del paisaje americano se unían, por su semejanza y procedencia, con los bárbaros de De Bry y estos con los germanos antiguos de nuestro geógrafo e historiador al servicio de los holandeses. Por otro, la postura, el empaque, el perfil de Vespucci calcaban prácticamente la silueta de un Ulises que recibía el *moly* de las manos de Mercurio, en una tabla pintada por el propio Stradano para el *studiolo* del Gran Duque de Toscana. El tema nacido de un *divertimento* se conectaba de manera enigmática con el tema del proyecto que me trajo al Getty. Corrí a mostrarle mis descubrimientos a Alain Schnapp, un especialista francés en historia de la arqueología que se encuentra en el Getty por las mismas razones de *scholarship* que yo, autor de un libro excelente acerca de la apreciación de las ruinas en el Renacimiento europeo y en el clasicismo francés, ex director, nada menos, del Institut National d'Histoire de l'Art en París. Alain conocía perfectamente al autor de la *Germania* y me lanzó en dos minutos su bibliografía completa. Me aconsejó que me apartara un poco de mi tema homérico y que hurgara en la veta de las maneras de representación de los germanos en las ilustraciones modernas de la historia antigua. Le hice caso y la suerte me ayudó de una forma increíble, porque resulta que otro hito en mi itinerario odiseico es un fresco que Pinturicchio pintó para el palacio de Pandolfo Petrucci, tirano de Siena, en 1509, donde se ve una bella escena de Penélope en el telar, Telémaco y los pretendientes que entran en la habitación y Ulises que se asoma por una puerta, disfrazado de mendigo. Sucede que ese fresco formaba parte de un ciclo de ocho, un ensamble todavía irresuelto de temas entre los que figura la representación de un rescate de prisioneros que un romano realiza en el campamento de un rey o jefe bárbaro. Y allí reaparecía el dilema de la representación de los bárbaros al que el profesor Schnapp me había guiado, ahora más explícitamente asociado con la iconografía de la historia de Ulises. Pero, a su vez, el fresco del rescate de prisioneros abría un interrogante nuevo: el jefe bárbaro y sus huestes tienen turbantes y algunos rasgos orientales en las caras, en el color de la piel. ¿De qué bárbaros se trata? Hay autores modernos que se inclinan por el cartaginés Aníbal, mientras que otros lo hacen por Ariovisto el germano, enemigo de César y protagonista de un episodio de entrega de cautivos en la *Guerra de las Galias*. El aspecto de esos bárbaros inclinaría la balanza del lado de los cartagineses. Sin embargo, hay un detalle que juega en contra de esa identificación: no se ven elefantes en la escena, cuando en el *Quattro* y en el *Cinquecento* no se conocen representaciones de la segunda guerra púnica en las que no haya elefantes. Y entonces despuntó nítido en mi cabeza el recuerdo de Ángel Castellan y de una lectura extraordinaria que él nos daba para hacer, una carta de Coluccio Salutati a un margrave, creo que el de Brandeburgo (aún no he podido consultar la correspondencia de Salutati, que Castellan tenía en la casa, que en California sólo tiene la UCLA y que va a consultar por mí Carlo Ginzburg). Decía entonces, una misiva al margrave en la que Coluccio equiparaba a los turcos del siglo XV con los germanos del siglo II d. C.: ambos, pueblos jóvenes, formados en, por y para la guerra, bárbaros llenos de una energía que habían olvidado los romanos de antaño y los de hogaño. En síntesis, este ovillo digno de Gordio pero que, a lo mejor, una vez desenvuelto, me permitirá conocer mejor cómo se relacionaban hechos, mitos y representaciones en la primera modernidad europea, sólo pudo hacerse y podrá desmadejarse en este lugar insólito que es el Instituto Getty, donde a los millones de libros, imágenes y grabados, hay que sumar otros tantos millones concentrados en las grandes cabezas de la *scholarship*, convocadas por el Getty para estudiar, discutir, colaborar y ensanchar nuestro conocimiento colectivo sobre las relaciones entre la Antigüedad y el mundo moderno.

Creo que este ejemplo de aplicación exasperada del paradigma indiciario puede darte una mejor idea del Getty como instituto de investigación que cualquier reseña minuciosa de su arquitectura, de sus cortes, de su planta (circular, por otra parte, extraña hasta que te habituás a ella, rompés con la ortogonalidad cartesiana de la BNF y percibís que esta biblioteca se parece al Sistema Solar, donde el Sol es un espacio vacío inundado de luz gracias a la cúpula transparente que lo cubre a la altura de un sexto piso. Apenas caés en la cuenta de esta organización "cósmica", te sentís un cometa libre, que cree recorrer los anaqueles como le da la gana, pero que también orbita, sin percibirlo, gobernado por la fuerza de gravedad del Sol que aquí es luz pura). Luz, luz en todas partes, que se enciende a tu paso entre los anaqueles, por las noches o los sábados y domingos, cuando nadie de la administración trabaja, pero los *scholars* podemos venir a hacer de las nuestras hasta las doce de la noche. Luz del oeste hacia donde miran nuestras oficinas, para que veamos el Pacífico que baña Santa Mónica y el Sol de verdad, que se pone todas las tardes. Me temo que, cuando vuelva a Puán, voy a reventar. No digo que debamos o podamos tener un Getty, pero algo digno que nos permita comparar mediante una cadena de metáforas, aunque sea una cadena larga, ¿por qué no, c...?

Estoy exhausto y me voy a casa a mirar la televisión y a bañarme en la pileta de agua caliente que ocupa el patio central del *housing*. Me percato ahora de que vivimos en un claustro, en un claustro que podría haber transitado Knecht. ¿Así se llamaba? Me tiraré, como él, al agua, en el borde de la ancianidad. Espero no desaparecer en ninguna corriente. Mañana lo sabrás. Un abrazo,

Gastón

Los Angeles, 12 de febrero de 2006.

Gentilissimo,

sobreviví a la zambullida, no hay corrientes peligrosas en las instalaciones del *housing*, aparte del chorro de burbujas del *jacuzzi*.

Esta mañana, con más calma, he revisado las fichas y puedo decirte que el historiador de la *Germania* y de la *Italia* se llamaba Philippus Cluvier o Cluverius (1580-1623). Nacido en Danzig, se educó, vivió y produjo sus obras en Leyden. Las dos mayores son precisamente *Germania Antiqua Libri tres, necnon Vindelicia et Noricum* (Leyden, 1616) y la *Italia Antiqua* (1624, póstuma). Ay, supongamos que yo muriese ahora, o mejor, al volver a Buenos Aires para hacerlo asistido por Aurora y no en esta soledad, cosa esta última que no estaría nada mal, por cierto, porque sería irse en un momento de más que relativa felicidad. Supongamos eso, quedarían mis apuntes (cientos de páginas), destinados a un libro sobre el mito de Ulises en el Renacimiento y en el Barroco, pero me temo que no habría Leyden por detrás que pagase a nadie con el fin de sacar póstuma, el año que viene, una *De Odysseae interpretatione in nova aetate libri tres*, ni un *liber unus* siquiera.

De todos modos, hoy tengo para comentarte lo sucedido el sábado por la noche, en un *dinner* al que me invitó una colega francesa, muy gentil, y donde se encontraba un *bunch* de anglosajones. Lo ocurrido entonces desbarata mucho del entusiasmo manifiesto en la última carta. Pero de contradicciones tales debemos vivir los hombres. Cuatro horas, viejo, cuatro horas dedicaron los de la rubia Albión y sus cachorros a conversar sobre el *gossip* de la academia americana, de las fundaciones y de los museos. La anfitriona y yo, mudos, porque desconocíamos a los protagonistas de las historias que (será tal vez debido a que esto es el Primer Mundo) dejan a nuestra chismografía rioplatense muy atrás. Aquí las amantes y los amantes de los colegas pueden llegar a ser los dueños de Exxon, de Halliburton, o los *trustees* de fundaciones o directores-directoras de museos y colecciones que son siempre árbitros de miles de personas y señores de cifras siderales. La Fundación Getty, por ejemplo, aumentó su capital, en menos de diez años, de 3.000 a 9.000 millones de dólares, de la mano de un caballero a quien acaban de despedir porque, a pesar de tener un sueldo anual de un millón de dólares, parece que lo que recaudaba ilegalmente de viáticos, porcentajes y subsidios mal habidos triplicaba la cifra del salario. El ex director fue echado la semana pasada y se nos ha informado, a todos los miembros permanentes y provisorios del *staff* del complejo Getty, que el réprobo deberá pagar unos 350.000 dólares de multa o algo así. Este escándalo fue ventilado a los cuatro vientos por la prensa y por las propias autoridades del Getty (la transparencia del proceso es algo que todavía me mantiene atónito y admirado, ya que no creo que nada parecido pueda ocurrir en nuestro país o en alguno de los países europeos que suelen ser nuestro modelo); está claro que el *affaire* hubo de despertar la naturaleza chismosa que todos los *scholars* poseemos en los repliegues de nuestro corazón y, de tal manera, tuvimos esa aplastante noche de habladurías. Mi enojo con la profesión propia me llevó a desear ser uno de los Nibelungos que circulan por el *low level number 3* del Instituto, preparan nuestras comidas y se encuentran siempre disponibles para trasladarnos en el *shuttle* adonde nuestro capricho nos incite. Por ello, si anteayer comparé este edificio con el cosmos, hoy lo veo como el Valhalla y a nosotros, los *scholars*, como a esos dioses despreocupados, egoístas, disolutos, que terminaron en el sublime cataclismo que todos conocemos.

Parto en momentos más a las colecciones especiales de la UCLA, donde me veré con Ginzburg y hablaremos *de altioribus syderis*, aunque se trate, en realidad, de comprender lo que sucede *in hominis abyssu*. Me temo que si no miramos con un ojo hacia arriba y con el otro hacia lo oscuro profundo que nos habita, estamos bien jodidos. Te copio una frase bella que encontré hoy sobre el trabajo del historiador y que vertí en un mal inglés para decirla durante mi intervención en el seminario. Mi asistente, Priyanka Basu, una cultísima joven de la India, seguramente me la corregirá: "*[We, historians, have to] replace the tragedies of the past, the hopes of the future and the problems of the present on a stage freed from any apology and any ideological illusion*".

So long, querido amigo,

G.

Los Angeles, 20 de febrero de 2006.

Estimadísimo,

sé que estás algo indignado por mi largo silencio, pero sucede que me enfrasqué, como pocas veces en mi vida, en la redacción del texto para el seminario de los *scholars*. Nunca imaginé que la redacción directa en inglés me costaría tanto, si bien recuerdo que algo parecido me ocurrió con el italiano cuando me puse a escribirlo en Florencia en 1980 y me sucede todavía con el francés cada vez que debo preparar mis intervenciones en el curso de Roger.[4] Ojalá tuviera en esta lengua la mitad de la fluidez que tengo en las otras dos. Haría, por fin, lo que resolví hacer en París, esto es, garabatear las ideas generales, ponerlas en orden y luego largarme a hablar. Si intentase cualquier cosa semejante en inglés, iría en coche al muere, como el general Quiroga. En compensación, pues, cuando termine el *statement* te lo mandaré para que lo veas. Sospecho que habrán de indignarte mis sarpullidos de izquierdismo, pero seguro te gustarán mis delirantes traducciones de Achille Bocchi, del latín al inglés, de Torquato Accetto, del italiano al inglés, y del poema *Odisea. Canto XXIII*, por nuestro JLB, al inglés. Sólo a Marx lo transcribí directamente de la primera edición londinense de *El capital*, hecha en el siglo XIX. Entre paréntesis, te recomiendo vivamente la lectura del *Sobre el honesto disimulo*, escrito por el mentado Vinagre en 1641. Es el libro más barroco que he leído alguna vez, tiene una transparencia léxica y sintáctica que podría parangonarse al juego luminoso de la arquitectura de Borromini o de la pintura de Orazio Gentileschi. No obstante, en el caso de Accetto, en un mismo período del discurso, entre la oración principal y la subordinada, el significado cambia a menudo de sentido sobre una misma dirección de los argumentos. Supongo que esa figura silogística ha de tener un nombre particular que olvidé. En todo caso, Accetto cultiva una forma ligera y elegante de la paradoja, habla de los afectos y las pasiones y enseña el

[4] Se trata de Roger Chartier, director de estudios en la École des Hautes Études en Sciences Sociales en París, miembro del Collège de France.

modo de que se conviertan no en tiranos de nuestras necesidades sino en sus súbditos u obedientes "ciudadanos", pero las comas, las aposiciones intercambiables y el hipérbaton levísimo hacen que uno pueda pensar que, en realidad, son los tiranos de verdad, dominados por la pasión y contrapuestos a los ciudadanos, dueños de su vida emocional, el objeto de la advertencia de Torquato. Con lo que el manual de cortesanía y las instrucciones para un uso delicado de los desocultamientos y veladuras del lenguaje esconden, en realidad, un dicterio contra el despotismo. Me recuerda el contrapunto magistral y las antífonas de la *Incoronazione di Popea*, el ropaje suntuoso y transparente del absolutismo en cierne, que muestra y eclipsa a la vez los mecanismos inmorales del poder, su falta radical de toda piedad. Sin embargo, la prosa de Accetto y la música de Monteverdi son fuerzas encantadoras por igual de nuestra inteligencia y de nuestros sentidos, sin que el enajenamiento mágico nos impida vislumbrar la *terribilità* de la verdad y la belleza.

Todo este comentario me lo inspiró la intervención de Ian Balfour en nuestro seminario. Balfour es profesor de filosofía en Toronto, se dedica a las relaciones entre la visualidad y el pensamiento abstracto en los siglos XVII y XVIII. Leyó un texto deslumbrante acerca de lo sublime en el salón de conferencias de la Villa Getty y aquello sonó muy bien. Tal vez porque, por primera vez en la historia, un seminario se celebraba en ese lugar, rodeados como estábamos de fuentes, jardines y viejas estatuas, al costado de un teatro griego terminado anteayer, todos nos sentíamos miembros de alguna *Accademia degli Incantati*. Pero Balfour terminó su lectura con la proyección de un pasaje de *El desprecio,* de Godard, aquel en el que Fritz Lang proyecta algunas escenas de su filme sobre la *Odisea*, donde se ven las estatuas de las divinidades amigas y enemigas de Ulises, pintadas de colores vivos como se supone que lo estaban las esculturas antiguas de los griegos. La música de fondo es la melodía desgarradora y misteriosa compuesta especialmente para *El desprecio*. El productor norteamericano de la película ficticia, quien está allí presente, actuado por Jack Palance, queda fascinado con lo que ve y dice: "*I like the Gods, I know how they feel*". Se ha demostrado así, otra vez, que entre lo sublime y lo ridículo no hay sino una línea muy delgada. Salimos de la sala y me percaté de que, según fueran nuestras idiosincrasias, nuestra proyección hacia lo que significaba en aquella pugna la Villa Getty ante nuestras miradas se dirigía hacia el lado de lo sublime o de lo grotesco. Los europeos del Oeste, con los ingleses *in capite*, no vacilaron en pronunciarse por la similitud esencial entre el señor Getty, sus *trustees* y Jack Palance. Los europeos del Este y los americanos, tanto del sur cuanto del norte (bueno, del sur era yo solo, pero representativo, qué joder, y me sentí fenómeno del lado de los otros americanos), pues nosotros esbozábamos la risita cómplice de los "superados", aunque en el fondo de nuestros corazones sabíamos dos cosas: 1) que lo sublime americano existe y se complace en expresarse con las representaciones antiguas (¿no te parece, por ejemplo, que la visión de Bolívar en el Chimborazo es demasiado semejante al Sueño del Africano descripto por Cicerón en su *República*?); 2) que lo sublime americano se reconoce, por aquello mismo, efímero, y aventa, al fin de cuentas, el peligro de la crueldad sin límites cuando se transmuta en carcajada. Por tal razón son o han sido tan caricaturescos Bush, Perón y Chávez, pero jamás podrían ser o haber sido Césares (una gran suerte). ¿Recordás a Bush, cuando bajó del helicóptero, disfrazado de *Full Metal Jacket*, al darse por oficialmente terminada la Guerra de Irak? Claro que habría que volver los pasos hacia una teoría de lo sublime, a partir de lo que yo entendí de ella en la exposición de Balfour, para cerrar el asunto.

Y bien, en el seudo-Longino, filólogo del siglo II d. C., cuyo texto es el único análisis de lo sublime que heredamos de la Antigüedad (aunque seguramente hay otros comentarios y disquisiciones sobre la categoría pues, en realidad, el seudo-Longino dice expresamente que su obra contesta una anterior en torno al mismo tema), pues allí tenemos dos conceptos de lo sublime en juego. El primero sería la forma más elevada de lo bello, en términos materiales y morales, lo bello que se concibe como una perfección sensible insuperable, portadora además de un contenido ético sin fisuras. El *summum pulchrum* se identifica con el *summum bonum*. El segundo concepto de lo sublime se vincula con el efecto de aplastamiento de nuestras fuerzas y de nuestra inteligencia que puede producir la captación de una imagen o de una figura poética. Nos sentimos superados por la potencia de lo que vemos, oímos o sentimos. Una emoción vecina al terror, pero paradójicamente placentera, se apodera de nuestra subjetividad. Lo cierto es que, cuando Burke y Kant discutan la cuestión, habrán de distinguir lo sublime matemático, producido por la toma de conciencia respecto de la inconmensurabilidad o infinitud del espacio y del tiempo, y lo sublime físico, que nace de la sensación experimentada por la inconmensurabilidad de una fuerza que amenaza con oprimirnos y aniquilarnos en cuanto individuos. Si consideramos que lo bello es tal vez el resultado de la percepción de una armonía de partes y de tamaños, de un equilibrio de elementos dispares reductible a relaciones matemáticas de cantidades de elementos y sus medidas, lo sublime matemático está emparentado con lo bello, por cuanto el infinito podría entenderse como una yuxtaposición, sin límites en cuanto al número, de unidades medibles y numerables *ad infinitum*, como lo es el conjunto de los números enteros. Pero lo sublime físico o dinámico no es reductible a ninguna enumeración, ni siquiera ilimitada, y por ello se aleja de cualquier noción de armonía matemática de partes. De allí que este sublime se resuma en la creación de un sentimiento de pequeñez y de temor, que despunta en aquello que los críticos del siglo XVI llamaron la *terribilità* de las figuras de Miguel Angel, por ejemplo, o en lo que los románticos entendieron como una atracción del abismo. Parecería que, aun cuando las nociones ligadas a lo sublime fueron aprehendidas y elaboradas sólo en los tiempos modernos, la búsqueda de formas y efectos sublimes ha sido un rasgo permanente de la producción estética de la humanidad. Es possible que todo objeto artístico contenga semillas y potencialidades de los dos campos, de lo bello y de lo sublime. Es más, me animo a decir que no hay obra de arte en la que no pueda descubrirse una organización bella de sus elementos, es decir, algún tejido de relaciones armónicas entre las partes del todo, por remota que parezca o eclipsada que se encuentre debido a una apariencia contundente de desmesura. Asimismo, y recíprocamente, no habría equilibrio matemático, por dominante que fuese en un objeto estético, que no eclipsase un desasosiego de inconmensurabilidad física en algún punto del conglomerado de forma y sentido que descubrimos en su organización interna.

Por supuesto que hubo épocas en las que lo bello prevaleció en las exploraciones y realizaciones artísticas (los tiempos de los clasicismos) y momentos en los que predominó la voluntad de activar las emociones sublimes (los tiempos de agotamiento o esclerosis de los sistemas armónicos, sea de sonidos musicales o de sonidos verbales, sea de proporciones lineales o de relaciones cromáticas). Pero parecería que nunca, nunca, lo bello habría estado ausente de la obra sublime ni lo sublime de la obra bella. Lo propio del hombre es el carácter intermedio de su experiencia creativa y estética. Lo bello puro, cuya contemplación nos llevaría a comprender y aceptar la totalidad de lo real por el hecho de conocer la medida de cada cosa y su lugar en el todo, y lo sublime puro, que se fundaría sobre la captación de un terror absoluto, paralizante, no son accesibles a los hombres. Lo bello puro sólo es accesible a los ojos de las divinidades, reconciliadas sin mella con la forma y el significado de lo real. Lo sublime puro es atroz, terror sin atenuantes; quizás una sola vez el ser al que Agamben vio como a quien ha cumplido en sí la paradoja de alcanzar lo no humano de lo humano, el que ha visto y vivido la existencia en Auschwitz, tal vez ese ser ha estado en contacto con lo sublime puro. Pero la víctima absoluta no ha sobrevivido para contarlo, sólo sobrevivieron sus asesinos. Vale decir que si lo bello puro es el espectáculo de la máquina de los cielos en el ojo de Dios, lo sublime puro es el espectáculo del interior de la cámara de gas en el ojo de un SS. Por esta razón, cuando Stockhausen dijo que la obra de arte más grande de la historia había sido la destrucción de las Torres Gemelas el 11 de septiembre de 2001 (afirmación que le ha bloqueado para siempre el acceso a los Estados Unidos), se refería a una obra sublime y por ello me temo que estaba en lo cierto. La pretensión de haber encontrado lo bello puro nos equipara de modo absurdo a lo que nunca podremos ser, dioses, y de ahí nace la impasibilidad escandalosa del esteta a la Des Esseintes. El suponer que podemos hallar lo sublime puro nos convierte en instrumentos de un terror sin fronteras y en los peores criminales de la historia. La mejor explicación poética de la doble imposibilidad de alcanzar los extremos estéticos tal vez sea la novela breve de Balzac, *Le chef d'oeuvre inconnu*: el maestro Frenhofer, en su búsqueda de la perfección en cualquiera de los dos sentidos, ha ocultado el retrato de su modelo, Cathérine Lescault, tras una nube espesa de colores que apenas deja ver un pie de la mujer, un pie próximo a la belleza y a la sublimidad absolutas. Picasso percibió en esa historia una suerte de prefiguración de su propia vida artística, la que fue, en buena medida, el signo por antonomasia de la experiencia del arte en el siglo XX.

Basta ya de desvarío. La próxima espero que sea la descripción apacible de un paseo. Lo prometo.

G.

Los Angeles, 22 de febrero de 2006.

Querido amigo,

avancé mucho en el *statement*, me serené y puedo retomar el ritmo del comienzo de nuestra correspondencia. Aurora se fue el 9 de enero y a semejante altura de nuestra separación me consuela recordar el último *weekend* que pasamos juntos. El sábado fuimos en auto a Hollywood y a Yorba Linda, lugar este donde una amiga mía de la infancia tiene su casa y nos invitó a cenar "a la argentina", una pata de cordero asada con ensaladas múltiples. Pero primero te cuento acerca de nuestra visita a Hollywood. En aquel momento, Los Angeles me desorientaba por completo, ahora lo hace bastante menos pero todavía puede convertirse en un laberinto del peatón que soy, *status* algo desgraciado en esta ciudad, pues el peatón es una suerte de Adán caído sin redención. Nada en la forma de organizar el tránsito, el transporte público o el alumbrado está pensado realmente para él. Hay barrios enteros sin iluminación (algo muy sorprendente entre nosotros, que casi canonizamos a un virrey porque puso los primeros faroles en Buenos Aires en concordancia con la instalación de la imprenta de los Niños Expósitos en la capital, un virrey verdaderamente de la época de las Luces). En Los Angeles, distritos enteros, de ricos por lo general, carecen de alumbrado público porque sus habitantes lo consideran superfluo, dado que todos tienen automóvil. El que no lo tiene y anda por allí es una sospechosa criatura de la noche, de esas que mencionaba Drácula al comienzo de la película célebre con Bela Lugosi. Por otra parte, el hecho les permite pagar menos impuestos y están felices. Ni te cuento lo que ocurre los días de lluvia, los autos pasan a tu lado como trombas y te dejan empapado sin mosquearse. Volvamos a Hollywood.

Pensé que al salir de la casa sobre Sunset Boulevard bastaba con seguir la calle y atravesaríamos Beverly Hills hasta llegar al Hollywood Boulevard y de allí seguiríamos unas cuadras hasta el Teatro Chino, pero me equivoqué de sentido y rumbeé hacia el mar. Las casas se veían maravillosas y supusimos que estábamos en el barrio de los actores, mas no era así, avanzábamos hacia Palisades, de modo que, al cabo de unas millas, empezamos a ver muy cerca el mar, en medio de unas vistas dignas de Cézanne, cosa que yo sabía era imposible desde Beverly Hills. Giramos en U y volvimos sobre nuestros pasos. Cerca de una hora y media después de haber salido de la casa, orientándonos por el cartel famoso de la colina del "bosque sagrado" y ya no por mi pretensioso don innato, nos topamos con el Teatro Chino y el Teatro Kodak, lugar de entrega de los Oscars que teníamos que recorrer con cuidado en homenaje a nuestra hija doctorada en *Film Studies*. Eso hicimos, por supuesto, nos fotografiamos junto a las quiro-impresiones de Mary Pickford y de Rock Hudson. ¿Te das cuenta de la antigüedad irredimible de la selección? Bueno, pero compensamos con las fotos que nos hicimos tomar al lado de los vagos disfrazados de Vader, Arturito, 3PO y la princesa Leah, que pasan allí horas de horas para que los turistas les den unas monedas por *the picture*. El Teatro Kodak está precedido por un corredor flanqueado por unos pilares en donde aparecen inscriptos los nombres de las películas ganadoras de los Oscars mayores desde los años 20. La evocación de las que habíamos visto (casi todas) fue una delicia de nostalgia y recreación de la infancia y de la juventud. Nos llevó una hora subir hasta las puertas principales del teatro. Luego la deriva nos llevó al Hotel Renacimiento, cuya decoración es moderna de los años 50 (aunque me parece que el edificio es mucho más reciente). En el *lobby*, vimos un enjambre de actores y actrices de segunda de las series de televisión, pero por desgracia no tuvimos ninguna epifanía de los importantes, de manera que seguimos nuestra caminata por la plaza que ya te mencioné, donde sobrevuelan los elefantes de *Intolerance* y los genios y divinidades de Asiria. Nos dimos cuenta de que buena parte de nuestra experiencia en Los Angeles se volcaba en los moldes más arcaicos de la memoria, formados en nuestras tardes eternas de cine durante los sábados lluviosos de la infancia, cuando veíamos en el Cóndor, en el Roca o en el Palacio del Cine los fabulosos triples programas, donde se pasaba de Ida Lupino a Erroll Flynn, de Virginia Mayo y Anne Baxter a Victor Mature, de *Demetrius* y *Marcellus, Samson and Delilah* al Gregory Peck de *The Bravados*, al Glenn Ford de los *Cuatro Jinetes del Apocalipsis* con las balalaikas en la Pampa, a la esposa de Glenn Miller que hacía June Allison o a la "estrella que nacía" interpretada por Judy Garland, todo ello en los escenarios naturales de Los Angeles y sus alrededores, en los edificios públicos que reconocíamos como los tribunales de Perry Mason o las casas sombrías de departamentos, munidas de las escaleras de incendio en la fachada por donde se escapaban los héroes de Hitchkock cuando parecían los asesinos a ojos de todo el mundo, pero no eran sino las víctimas de una trama tejida por un malvado que el muchachito desharía después de muchos equívocos y desventuras. Los callejones donde te asesinaban en un abrir y cerrar de ojos (pero, francamente, a quién se le ocurre andar por esos lugares con tacones altos y pollera tajeada o fumando un pitillo y con el sombrero displicentemente echado atrás), o las cañadas en las que el detective encontraba invariablemente el cadáver de la joven descarriada pero buena, Cindy o tal vez Debby, mas nunca Ana María o Graciela, a la que había asesinado Bobo mandado por Charlie Squilacci porque la chica había sido testigo involuntaria de una conversación en la que se había fijado el día y lugar de la entrega de un cargamento clandestino de licores, tales lugares inverosímiles, querido amigo, existen de verdad, aunque no encontrás a las horas normales sino repartidores o gente que corre, transpira y hace ejercicio con el fin de no tener que caminar luego para ir a comprar el diario o el pan en la esquina.

Se había hecho de noche cuando emprendimos el camino a Yorba Linda, pago chico de Richard Nixon. El ex presidente, de quien hasta los demócratas piensan hoy que, al lado de Georgie Boy, fue una especie de San Luis de los Franceses, dejó en ese sitio una propiedad al pueblo de Yorba con el fin de albergar su biblioteca y su archivo personal, para que los investigadores puedan escribir *sine ira et studio* la historia de su presidencia. *That's really great, my fellow*. Algo importante que aprender. Tardamos otra hora y media en llegar a lo de nuestra querida amiga de tantos años, Cachita Manley. Ella nos había dicho que su marido, Paul, se había jubilado de su trabajo de banquero y que ahora andaba siempre en bermudas, con el pelo largo y trenzas. Aurora pensó que Cachita había olvidado algo su castellano, que Paul sería un ex bancario más bien, simplemente por el hecho de que uno suele extrapolar la propia condición de pequeño burgués hacia las personas que le caen simpáticas. Cuando llegamos a la casa, desde afuera nomás, se hizo evidente que Cachita recordaba perfectamente su castellano. Paul se había jubilado de banquero, en efecto. Entramos en una mansión, nos sentamos en un comedor que mide unos 40 metros, visitamos más tarde la sala de billares, las *suites* de cada hijo y del matrimonio, Aurora se metió en la casa de muñecas de la nieta, yo llegué a creer que estábamos en un estudio de cine. Fabuloso, y Cachita con su afabilidad, su bondad de siempre, me sentí feliz por ella y por la noche que nos ofrecía. Su madre Elsa, su hermana Mónica y sus sobrinas se habían sumado a la cena. Dado que Elsa recordaba a la perfección a mis padres y a Martín, sinteticé la triste historia de la desaparición y, por cierto, Elsa se impresionó mucho, porque era la primera vez que escuchaba de un testigo directo una historia semejante (toda la familia de Cachita se fue de la Argentina en 1961). El regreso, a la medianoche, fue rapidísimo. Los *freeways* estaban, si no vacíos –porque eso es imposible en Los Angeles–, al menos descongestionados. Recorrimos unas 50 millas en tres cuartos de hora.

El domingo, Aurora quiso visitar el *downtown*. Partía al día siguiente y pensaba que no podría decir que había estado en Los

Hollywood Boulevard, Hollywood, Los Angeles, California

Teatro Chino, Hollywood, Los Angeles, California

Angeles sin conocer el centro. La perspectiva de que visitásemos el County Museum of Art no la atraía demasiado, es más, la alarmaba un poco porque, sabedora de las piezas de arte grecorromano que hay allí, temía que se me diese por andar besando el trasero de una Gracia o los labios de una Minerva, arrastrado por el mismo entusiasmo que me había hecho besar los troncos de los secuoyas (Aurora recordaba perfectamente un episodio similar, cumplido y llevado a cabo en la Biblioteca Piccolomini en Siena delante de nuestros hijos, allá por 1980, producto de mis aberraciones pedagógicas que consistían en hacer amar el arte a los niños al mismo tiempo que jugaba la carta de la desmitificación jocosa. Pero claro, la reacción del guarda italiano, muerto de risa en el fondo, seguramente no iba a reproducirse en los austeros miembros del *Security* californiano). El *freeway* número 10 nos llevó a Main Street, luego tomamos Broadway y, a partir de la calle 9, creímos haber llegado a una Tijuana ambientada en una escenografía de Ernst Lubitsch. No se divisaba un solo gringo en las multitudes que recorrían la avenida. Se escuchó una voz que invadía la calle desde una casa de ofertas, en un castellano modulado como en la radio: "Tenemos chamarras por 14 dólares para la dama y también otras muy varoniles por el mismo precio para el caballero". Allí cerca estaba el Centro Cívico, con los tribunales de todas las películas de juicios por jurados y el City Hall que también vimos en el cine hasta el hartazgo, esa mole *Art-Déco* que termina en forma de pirámide escalonada. Tomamos Spring Street para regresar a la calle 5 y descubrimos, detrás del City Hall, la oficina de inmigración, una especie de tienda transparente con rampas de entrada y salida. Estaba vacía, por supuesto, y se la veía muy ordenada, hasta acogedora, pero, según nos dijeron allí mismo, eso era un pandemonium los días de atención al público. No obstante, nos pareció que la relevancia que el municipio de Los Angeles asignaba al asunto se ponía de manifiesto en el hecho de que aquella oficina estuviera colocada en un lugar tan conspicuo de la ciudad y su arquitectura fuese transparente. Subimos por Temple Street. Vimos la Catedral de Nuestra Señora de Los Angeles en la esquina de Temple y Grand Avenue, inaugurada en el año 2000 y construida según planos del español José Rafael Moneo, después de que el terremoto del 94 arruinase la estructura de la vieja Santa Viviana del siglo XIX. Nos pareció un *parking* desde afuera. Pero había que entrar a verla. Desde la puerta de ingreso las cosas cambiaron; al fondo de un nártex longitudinal y paralelo a la nave, se divisaba un retablo del siglo XVIII de la antigua iglesia, bien restaurado y mejor iluminado. Al llegar al altar, fue necesario girar 270 grados para quedar entonces mirando el eje principal de la nave hacia el retablo, bastante más abajo del lugar donde nos encontrábamos. Había desaparecido cualquier recuerdo de la violencia semiótica (perdón por la pedantería) que inducía el exterior con su parecido a los edificios más crasamente utilitarios del *downtown*, los *parkings*. La luz, la pendiente y un conjunto de tapices magníficos a ambos lados de la nave (ignoro el nombre del diseñador-tejedor, pero te lo averiguaré porque vale la pena recordarlo)[5] demuestran que el arquitecto apostó por entero al espacio interior de iluminación y recogimiento antes que al atractivo o a la seducción de la fachada y de los muros externos. Una jugada audaz, sin duda, porque se requiere la tenacidad de una mujer como Aurora para sortear ese exterior estéticamente hostil y apostar a emocionarse en el interior. Yo, ni me hubiese molestado si Aurora no hubiera insistido. La reiteración de la imagen de la Guadalupe habría sido suficiente para que nos percatásemos de que los destinatarios principales del edificio de la Catedral son los inmigrantes católicos de América Latina y Asia, pero las representaciones realistas de los santos en los tapices hacen más explícita todavía la apelación a las comunidades latinas y filipina. Porque esas figuras han tomado por modelo físico a los inmigrantes y porque gran parte de los santos representados son los benditos de África, del Pacífico y del Nuevo Mundo: María Venegas, Rosa de Lima, Paul Miki, Kateri Tekakwita, un Agustín y una Mónica que tienen rasgos nubios o bereberes. La eficacia propagandística y emocional de las imágenes quedaba probada por la muchedumbre real de orantes y de devotos que poblaban la nave esa tarde.

A pocos metros, por la Grand Avenue, se levantan cuatro edificios impresionantes, consagrados a las artes: el teatro de prosa y la

[5] Diseñador y tejedor son entidades distintas: el primero es el artista John Nava, el segundo es la fábrica belga de Tapicerías Flamencas.

Catedral, Los Angeles, California

Tapiz de J. Nava, Catedral, Los Angeles, California

ópera (Dorothy Chandler Pavilion), separados por una plaza donde se levanta una fuente monumental de Lifschitz. Del otro lado de la 1st Street, Frank Gehry construyó el Walt Disney Concert Hall, en su estilo característico de superficies curvas gigantescas, recubiertas de placas de titanio, que alternan la articulación de unas y otras y las soluciones bruscas de continuidad. El edificio tiene el mismo carácter orgánico, como si se tratase de un pez enorme, que el Guggenheim de Bilbao. La sala del interior tiene un órgano muy raro detrás del escenario, en el que se combinan la madera y los metales: sus tubos vuelven a recordar un pez, pero no ya su exterior de escamas brillantes, sino el esqueleto de sus vertebras elásticas y sus espinas. La alusión marítima es poderosa y, cuando suena la orquesta o toca un solista de órgano, se tiene la sensación de que el pez de titanio es la nave en la que atravesamos un océano de sonidos. Más allá de la obra de Gehry, siempre sobre la Grand Avenue, una escultura de chatarra polícroma de grandes dimensiones, obra de Nancy Rubins, marca el ingreso al Museo de Arte Contemporáneo. Antes de contarte lo que vimos adentro, te refiero mi primer choque algo violento con las costumbres del país. Resulta que avancé por la Grand Avenue en procura de hacer unas buenas fotos, con dramáticas perspectivas *di sotto in sù* de los mayores rascacielos de Los Angeles, de sus superficies de cristales en las que se reflejan los unos en los otros y producen un efecto de ligereza paradójico respecto de las dimensiones y de la idea de mole que uno lleva consigo al acercárseles. Estaba entusiasmado con mi tarea cuando se me aproximó un tipo alto y atlético, con cara de pocos amigos, una especie de Trompifai o de Blutus, trajeado de azul, *ergo*, una persona de la seguridad del edificio de la Wells Fargo hacia el que yo dirigía la cámara. El urso se me acercó y me dijo que hiciera el favor de guardar el aparato, porque el *board* no quería que se tomaran fotos "en la propiedad". "¿Qué propiedad, si estoy en el medio de la calle?, pregunté. ¿Acaso la Wells Fargo tiene la propiedad del aire y de la luz circundantes?" El morocho convocó con un gesto de su cabeza a un compañero de juegos, del doble de su tamaño. Aurora estaba aterrorizada y su pánico me dio coraje para retroceder sin gloria. En conclusión, en *downtown* Los Angeles, el espacio que rodea a los edificios es también propiedad del propietario. Se ve que los efectos de la compadrada frustra todavía perturban mi buena redacción.

La exposición del MOCA (Museum of Contemporary Art) sobre la historia del *cartoon* en los Estados Unidos merece una carta aparte. Lo que aprendí en la ocasión no tiene desperdicio, a pesar de que me parece que la causa por la cual se batían los organizadores de la muestra (la demostración del valor cultural del arte popular de la historieta) hace ya un buen rato que es un combate ganado, por lo menos desde 1945-50, cuando en Bruselas y en París se hicieron las primeras grandes exhibiciones acerca del género. En cualquier caso, los siete artistas cuya obra se presentaba en el MOCA me deslumbraron: Will Eisner, Jack Kirby, Harvey Kurtzman, Robert Crumb, Art Spiegelman, Gary Panter y Chris Ware. Sólo conocía previamente a Spiegelman por *Maus,* una obra maestra que comprendí y aprecié mejor. Hasta la próxima,

G.

Los Angeles, 27 de febrero-12 de marzo de 2006.

Querido amigo,

la crisis del Getty me obliga a hacer un paréntesis en la consideración de los *cartoonists.* Aunque, a decir verdad, lo ocurrido en nuestro Walhalla serviría para componer una tira de historieta. El chisme arrecia aunque, *as usual,* estos gringos nos dan una lección de democracia genuina. La caída de Barry Munitz, presidente del Getty Trust hasta hace unos días, llevó a la cima de la organización a Deborah Marrow, una mujer inteligentísima que se presentó en sociedad, en una asamblea de empleados por cada instituto o gran dependencia del complejo, y lo hizo de un modo directo, llano, abierto a preguntas y observaciones de los asistentes. Me sorprendió verla tan suelta de cuerpo y segura de sí para contestar, como para salir airosa de los

F. Gehry, Walt Disney Concert Hall, Los Angeles, California

Wells Fargo Plaza, Los Angeles, California

bretes y zancadillas de varias personas del *staff*, no malintencionadas, creo, sino motivadas porque todo el mundo suponía en el lugar que la excepcionalidad de lo sucedido requería una explicación de las cabezas, de las personas a cargo de la política institucional. Me consta que ello es así porque el jovencísimo asistente del grupo de *scholars*, un muchacho bien despierto y culto que se llama George Weinberg, pero lo bastante ingenuo como para que no pueda dudarse acerca de su sinceridad, hizo sin el mínimo resquemor una de las preguntas más incisivas de la jornada. Acompañaba a Deborah el director del Research Institute, Thomas Crow, un investigador de relieve dedicado, en un tiempo, a estudiar las relaciones del arte y de la sociedad en Francia en la segunda mitad del siglo XVIII. Las habilidades políticas de Tom no quedan a la zaga de sus destrezas de historiador. Él abrió el acto con un alegre e irónico: "*Welcome everybody to the first day of the rest of our lives*", que fue festejado con una risotada sincera del público. Después del ping-pong a que resultó sometida la señora Marrow, Crow asumió la defensa del Getty frente a las críticas a las que el conflicto en lo más alto del *trust* había dado lugar. El *New York Times* había sido particularmente duro al aprovechar la situación y desvelar "las grietas intrínsecas" (así lo expresaba el artículo del diario el 13 de febrero) del *trust*: el dorado aislamiento de sus actividades de investigación, la debilidad de la colección por falta de compras inteligentes a juicio del articulista (nada menos que el respetado crítico e historiador del arte Michael Kimmelman), la ausencia de interés en ciertas áreas del arte y de las humanidades que era imposible conocer hasta el momento en cualquiera de los museos y otros repositorios de bienes culturales de Los Angeles (la civilización bizantina, por ejemplo). Crow contestó punto por punto del artículo en el *New York Times* y reivindicó el perfil de las colecciones del Getty, volcadas más que nada hacia los grandes repertorios de grabados, ilustraciones, dibujos, imágenes testimoniales, fotografías, fotomontajes, libros de artista y archivos iconográficos. Una apuesta a la modernidad de los soportes de la imagen y a la vastedad cronológica y espacial de los registros de representaciones visuales. Crow dijo que había en ello un rasgo distintivo de los proyectos culturales de la Costa Oeste, frente a los más tradicionales y "europeos" de la Costa Este. No deja de ser aleccionador que consideraciones conceptuales de semejante naturaleza hayan sido expuestas ante una asamblea de empleados, que se haya suscitado de inmediato una discusión alrededor de tales asuntos, y que el debate haya sido democrático y lúcido.

Volvamos, pues, a las historietas y sus avatares en los Estados Unidos del siglo XX. Un punto de inflexión fundamental en el género que aúna imagen y discurso (sea de los personajes representados o del autor omnisciente) parece haber sido la publicación de cuadernillos y, muy pronto, de libros de *cartoons* para adultos a partir de los primeros años de la década de 1940. El estudio de las fisonomías tuvo que refinarse mucho más que en el caso de las historietas consagradas a los niños, al mismo tiempo que pudo introducirse ambigüedad y ambivalencia en el retrato de los personajes mediante monólogos silenciosos y alusiones cromáticas a sus estados de ánimo en perpetua evolución. Tales factores produjeron, a su vez, una complejidad nueva en los conglomerados de figuras y textos, que impuso la búsqueda de equilibrios y armonías inéditas en series de cuadros forzosamente muy limitadas por las necesidades de edición de las historietas en los periódicos y las revistas. En este sentido, la creación en 1940 del *magazine* para mayores *The Spirit,* por Will Eisner, abrió el camino por donde luego transitó Harvey Kutzman con su humorístico *MAD* en los 50. Eisner exploró fórmulas expresivas mediante el dibujo y el color que se irían convirtiendo en los prototipos de la representación de historietas. Kutzman, por su lado, tomó temas de combate en la Segunda Guerra Mundial y dio de ellos una visión desgarradora que no se compadecía en absoluto con el patriotismo optimista del género bélico en el cine. El desasosiego tampoco fue ajeno al creador de superhéroes en las décadas de 1940 y 1950 que fue Jack Kirby: él inventó, junto a Joe Simon, nada menos que al *Capitán América* en 1941 y, con Stan Lee, dio vida a los *Vengadores*, a los *Hombres-X*, los *Cuatro Fantásticos* y *Thor* alrededor de 1960. Pero sus aproximaciones a las paradojas y a los múltiples sentidos de la ciencia contemporánea de la naturaleza, no sólo en el campo de los contenidos de las aventuras superheroicas sino hasta en los propios juegos de la representación, hicieron de las historietas de Kirby un terreno para ejercitar la imaginación y la crítica de una tecnología amenazadora. Ejemplo de todo ello es su deslumbrante conjunto llamado *La cuarta dimensión es una cosa muy charlada.*

A partir de este momento, gracias a la visita que me hace Constanza por una semana, es muy fácil encontrar las vocales acentuadas y la eñe en el teclado. De manera que, allá vamos entonces, con una escritura española más clara y legible. Pero quisiera acotar que la presencia de Constanza, amén de la felicidad de tenerla a mi lado durante unos días en Norteamérica, me muestra una Los Angeles que nunca habría mirado sin ella, una ciudad hecha de *megastores* de ropa usada y clasificada según las décadas a partir de los años 50, de negocios refinados y muy caros en Rodeo Drive, donde pudimos comprar al menos una gorra como las que usaba Pocho para el *pauvre Jean* de la *goualante* que quedó en Caracas, de las películas que compitieron para los Oscars (*Munich*, *Good night & Good luck*, ese capítulo tan bien narrado por George Clooney de la historia del pensamiento libre, que se refiere al combate televisivo entre Mac Carthy y el periodista Edward R. Morrow en 1954), de las tiendas con miles y miles de discos, CD, DVD, de los *shows* y los *tours* en el parque de los Universal Studios donde visitamos el *set*, muy impresionante por cierto, del avión destruido por los marcianos en la película *La guerra de los mundos* dirigida por Steven Spielberg, donde avistamos al degeneradito de Anthony Perkins mirando a través de la ventana del motel de *Psicosis*, fuimos víctimas voluntarias de un terremoto simulado en una estación de subte, padecimos los ataques devastadores de la Momia en su auténtica tumba (esa incursión es el mejor emético en plaza, te lo juro), se nos vino encima el tiburón de la homónima, nos calzamos los ponchos impermeables de dos dólares cada uno para empaparnos tranquilos en el reino aterrador del *Parque Jurásico*, viajamos en el auto del profesor chiflado de *Back to the Future* y asistimos al espectáculo encantador de los perros, gatos, monos y pájaros amaestrados del grupo de *Animal Planet*. Este bálsamo final no resultó suficiente para apaciguar mi desastrada sensibilidad sometida a semejante bombardeo de ruidos, visiones estridentes, alucinaciones, vahos y gruñidos arrojados desde las fauces de un tiranosaurio a escala. Al salir de los Universal Studios, abandonar la Spielberg Avenue y dejar atrás el James Stewart Boulevard (¿te acordás de *La ventana indiscreta*, de *Vértigo* y del *Hombre que sabía demasiado* con la insulsa de Doris Day cantando *Qué será será* en la embajada de Marruecos en Londres?), nos disparamos en el auto alquilado hacia Sacramento y sólo caí en la cuenta del error a unas 30 millas. Ni idea tenía de dónde estábamos y me dieron ganas de llorar, pues queríamos ir para el otro lado, hacia Yorba Linda a la casa de mi amiga Cachi Manley, quien nos había invitado a un empanada *party* para conocer a Constanza. En síntesis, que tuvimos que volver a la casa, orientarnos desde esa coordenada (0,0,0) y lanzarnos otra vez a la secuencia de hilos y nudos gigantes del *freeway*, de manera que añoré enseguida la montaña rusa del Parque Jurásico como un lugar tranquilo. No obstante, no vayas a creer que no hicimos con Constanza algunos recorridos más previsibles y clásicos, porque fuimos también al museo Norton Simon en Pasadena. Allí nos esperaba, gracias a los buenos oficios de Alain Schnapp, ex director del Institut Nationale d'Histoire de l'Art en París y ahora mi compañero de *scholarship*, la curadora de la colección que el ultramillonario refinado de Norton Simon legó a la ciudad de Pasadena. La colega Carla Togneri, cuya familia llegó desde Lucca, es una de las personas más distinguidas, amables y cultivadas que conocí hasta ahora en todo Estados Unidos. Tuvo la gentileza de llevar a Constanza y a Irene Aghion, quien también nos acompañaba, a ver las obras de Marcel Duchamp en la reserva. Mientras tanto, los varones de la expedición, algo más arcaicos y envarados en nuestros gustos, nos solazamos con las esculturas de la India y la pintura europea, desde el *Trecento* florentino hasta el cubismo, un conjunto de notable exquisitez que revela una mente, en el señor Norton Simon, muy distinta y más educada que la de los señores Hearst o Getty. Sólo el Jacquemart André en París, el Poldi Pezzoli en Milán o la Wallace en Londres me parece que pueden compararse a lo que vimos con Constanza y el equipo de los galos en Pasadena. Para mejor, me permitieron fotografiar, sin *flash* claro está, cuanto quisiese. De tal modo, puedo exhibir ahora, amén de un cuadro de Magnasco en el que la escena de un convento de frailes a la hora de la comida más bien semeja al infierno que a un refectorio, varias imágenes de una deidad hindú que me venía obsesionando desde el Museo de Arte Asiático en

San Francisco. Me refiero al maravilloso Ganesha, hijo de Shiva y Parvati, del que no se sabe muy bien si acaso Shiva sintió unos celos criminales o bien el dios sospechó que Parvati se había arreglado por su cuenta para concebirlo. El asunto fue que Shiva, airado, cortó la cabeza del recién nacido. Parvati se enfureció y exigió una reparación inmediata del desaguisado. Arrepentido, temeroso de que su esposa nunca más le permitiese el ingreso a la alcoba, Shiva salió a buscar una cabeza y, al no encontrar sino la de un elefante, esa fue la que restituyó sobre las espaldas de su hijo decapitado. Pero el muchacho salió muy bueno a pesar de semejantes excesos paternos, pues se casó con dos diosas, Siddhi, la prosperidad, y Buddhi, la inteligencia, y las restantes divinidades le asignaron el papel de regir la buena fortuna y ejercer la benevolencia hacia los hombres. Por eso, el dios Ganesha es representado como el elefante que baila, gracioso, cómico, pletórico de alegría, frente a los demás dioses y a la humanidad. ¿Te das cuenta? Ganesha es uno de mis elefantes hecho cordero o viceversa, no lo sé, el punto es que me ha parecido la quintaesencia absurda, imposible, tenazmente deseada, de cualquier reconciliación en el mundo. De todas maneras, las explicaciones del mito que encontré en una *Mythologie asiatique illustrée*, recogida al pasar frente a un estante de la biblioteca *ad unguem* del Getty (qué vergüenza, no fiché la referencia como es debido), dicen que Shiva se comportó con los celos que afectan a todo padre frente a una criatura recién nacida, a la que la madre presta toda la atención del mundo. Es decir que, si creyésemos en la validez universal de la teoría freudiana, diríamos que la decapitación de Ganesha es un deslizamiento simbólico del horror de la castración, pero la circunstancia de que el elegido para sustituir la cabeza del niño y reparar la falta del dios haya sido un elefante, el ser vivo más sabio, religioso y, por ende, henchido de bondad que existe sobre la tierra, indicaría que el padre Shiva aceptó transformar a su hijo en un híbrido fecundo, esto es, hacer de él algo diferente de la determinación impuesta por su naturaleza. Lo que equivale a pensar que el acto de sustitución de Shiva es una metáfora del proceso educativo y de la creación cultural en la base de las relaciones padre-hijo. Otro museo que visitamos mi hija y yo fue el dedicado a la radio y la televisión, donde recorrimos una muestra muy ingeniosa e ilustrativa acerca de la historia de la publicidad en los medios. Teníamos a nuestra disposición unos símiles agrandados de cada aparato en cuestión: una radio con sus diales, una tele con sus controles y una computadora con su *mouse*, todo gigante. Accionando las respectivas llaves de cada cosa, se escuchaba o se veía una selección de avisos radiales, de *jingles* y de *spams*, ordenados por décadas. Algo evidente es que, a medida que nos acercamos al momento actual, se abrevian los tiempos de los *advertisements*, desde las pequeñas melodías o historias de varios minutos de duración en los 50 hasta los 10 segundos, cuando mucho, en los 90 y el presente. Yo estaba encantado con los cortometrajes de hace 50 años; Constanza, en cambio, muy crítica respecto de tamaña pérdida de tiempo, se fascinó con los *clips* de su juventud aún en curso.

Perdón por el paréntesis, mas así está hecha la memoria de un viaje y de una estancia en el extranjero, los recuerdos se encadenan, caprichosamente desde la perspectiva de la lógica, analógicamente desde la perspectiva de la existencia emocional en busca de sentido. Vuelvo entonces a la exposición del MOCA que vi en enero. Después de Kurtzman, siguieron los historietistas de nuestra generación, los nacidos en los diez años posteriores a la Segunda Guerra. Robert Crumb, el primero, el creador del *underground comic* y artista consciente del papel revulsivo y satírico que el *cartoon* tiene reservado en la cultura contemporánea: sus ideas sobre el valor de este *folk art* norteamericano fueron volcadas en el libro *Zap Comix*, aparecido a fines de los 60, y encarnadas en el personaje de *Mr. Natural*, una suerte de compendio de Bouvard y Pécuchet. Art Spiegelman, el segundo, a quien conocemos bien en la Argentina porque su fábula *Maus* sobre la Shoah ha circulado traducida entre nosotros, acaba de sacar una suerte de infolio, *In the shadow of no towers,*[6] en el que cuenta la historia de sus terrores después del 11 de septiembre de 2001, miedos tanto o más dependientes de las reacciones norteamericanas al ataque cuanto de las posibilidades estratégicas que posee Al-Qaeda para golpear de nuevo. Por supuesto que es constante el contrapunto de esa historia con el espanto vivido

---

[6] Existe una edición española de la obra publicada por Norma en 2004 con el título *Sin la sombra de las Torres*.

Escultura de Nancy Rubins, MOCA, Los Angeles, California

por sus padres en Auschwitz y traspuesto a la fábula animal de los judíos-ratones y de los nazis-gatos en *Maus*. El Spiegelman de las *Torres* asume a menudo los rasgos de un ratón idéntico a su padre. Pero si eso no debe extrañarnos, sí tiene que sorprendernos el hecho de que la historieta esté construida de retazos y adaptaciones de otras historietas norteamericanas que retrataron la vida de New York a lo largo de un siglo entero. La operación de Spiegelman, de una destreza pictórica incomparable y de una erudición histórica superior a la de muchos *scholars* (*for instance, me*), nos revela que, *volens nolens*, la sensación del miedo, del desamparo, de la incertidumbre radical ante el futuro, estaban en la gran ciudad y en las representaciones humorísticas de la vida urbana que proporcionaba el *cartoon* ya desde 1894-5, cuando R. F. Outcault creó el personaje risueño de *Yellow Kid* en el *New York World*, o desde 1897 con las devastadoras ocurrencias de los *Katzenjammer Kids*, inventados por Rudolph Dirks (nuestros "cebollitas" del Capitán, *remember?*). El disparate asumió caracteres hiperbólicos en una tira efímera pero revolucionaria, que fue *Upside-Downs of Little Lady Lovekins and Old Man Muffaroo*, dibujada por Gustave Verbeck en 1904: ese artista, nacido en Nagasaki de dos misioneros holandeses e instalado en los Estados Unidos a finales del siglo XIX, presentaba en el *Upside-Downs* dos relatos paralelos y contradictorios según se mirase de arriba o de abajo la serie de imágenes y textos. Pero el absurdo se tornó violento, casi incomprensible, en el *Krazy Kat* de George Herriman, publicado por primera vez en 1910, para volver luego a carriles más burgueses, aunque no menos satíricos, en el universalmente conocido *Educando a papá*, la historia de la iracunda Maggie y del jovial y calavera Jiggs (nuestros Sisebuta y Trifón), que George McManus elaboró a partir de 1913 en el *Journal American* de Hearst. Y bien, todo ese bagaje es evocado, reproducido literalmente, adaptado, reconvertido a su propia sintaxis de dibujante y *cartoonist* por Art Spiegelman, que ya podés imaginar a quiénes se refiere cuando parodia a *Krazy Kat* o presenta su mundo, el nuestro de hoy, del derecho y del revés.

Pensé que después de Spiegelman poco quedaría por ver. Me equivocaba. Gary Panter mostraba en la sala siguiente las aventuras de Jimbo, el héroe *punk*, desagradable al mismo tiempo que deslumbrante, quien recorre en estos días un itinerario dantesco. Jimbo ha tenido, claro está, un largo trayecto por el *Infierno* y anduvo en el año 2000 por el *Purgatorio*. Sospecho que al *Paraíso* le será muy difícil llegar o no llegará nunca, pero lo que se ha visto en su ascenso por la montaña de la penitencia es algo apabullante. Jimbo no sólo ha encontrado en el camino las contrafiguras actuales de los personajes dantescos sino que se ha topado con las criaturas de Boccaccio, de Chaucer, de Ovidio y la Biblia, de Shakespeare y Dryden, de Milton y Voltaire, de ¡¡Redi!!, del Redi florentino que conoció a Galileo en sus últimos días, participó en la *Accademia del Cimento* y escribió el poema heroico-cómico de *Baco en Toscana*. ¿Quién sabe de la existencia de Redi en Los Angeles aparte de Carlo Ginzburg, ese admirable "monstruo de los jardines" historiográficos que enseña en la UCLA? Me he convencido de que la historieta es, para los norteamericanos de hoy, lo que fueron las *Etimologías* de Isidoro en medio de la barbarie visigoda, o las polianteas del siglo XVI, en apariencia tan caprichosas y estériles pero tan secretamente libres y desprejuicidas, en los tiempos y lugares en que regían los tribunales más feroces de la conciencia (perdón, parafraseo a Adriano Prosperi). En la última sala del MOCA, me topé con el *Jimmy Corrigan* de Chris Ware, un historietista que no tiene aún 40 años. Jimmy es un navegante de las metrópolis multiculturales del presente en busca de su padre. Transita por una realidad concreta de planos, esquemas y organigramas, presentación antes que representación de la virtualidad verdadera de nuestra época.

Entre el día en que se fue Aurora y aquel en que llegó Constanza, visité, te podrás imaginar, más museos, más galerías y lugares de arte:

1) Del Los Angeles County Museum of Art, del que cabría enumerarte tantas cosas, recordaré una de las Magdalenas frente a la vela de Georges de la Tour, el retrato de un cardenal por Guido Reni, el *San Agustín* de Philippe de Champaigne y una versión monumental de los *Alcatraces* de Rivera (pensar que la Argentina está representada en ese lugar por un cuadro de Kuitca).

2) La Biblioteca, la casa y los jardines del matrimonio Huntington, cuya fortuna había nacido de los ferrocarriles del Oeste y del Pacífico entre 1890 y 1920. Ya en 1905, el señor Huntington compró uno

de los siete u ocho ejemplares de la Biblia de Gutenberg que todavía existen; lo hizo por la cifra, fabulosa en aquel tiempo, de 50.000 dólares, el precio máximo que se hubiera pagado nunca por un libro. Y la vi, como si fuera un ser vivo, con los colores brillantes de sus letras capitales (fui al lugar con mi talismán, el *badge* de *scholar* del Getty, lo mismo que mis compañeros de jornada, Irène, Alain y Karen Sexton-Josephs, la administradora del *housing,* quien tuvo la amabilidad exquisita de llevarnos en su auto y de guiarnos tanto en la biblioteca cuanto en la pinacoteca de ingleses del siglo XVIII y en los jardines). Están asimismo en la Huntington uno de los primeros manuscritos de los *Cuentos de Canterbury*, el *Hamlet* de 1604, el infolio shakespeareano de 1623, las primeras ediciones del *Paraíso perdido*, del *Leviatán*, de los poetas y novelistas ingleses entre 1670 y 1750, el *Poor Richard* completo publicado por Benjamin Franklin, las hojas impresas de la Declaración de Independencia, la *editio princeps* del *Federalista.* En ese punto me sentí tan abrumado que, dado que las sillas estaban muy lejos de los anaqueles y las vitrinas, me senté en el suelo y me estiré para recuperar fuerzas. Las necesitaba, y cuánto, porque al salir de allí Karen nos hizo ver palmo a palmo los jardines: el japonés, con su centenar de bonsáis de las especies del Nuevo Mundo y su cantero zen; el australiano, con los eucaliptos gigantes, las magnolias, los pantanos; el jardín del desierto, y yo me preguntaba qué significaba ese oxímoron. Nada de oxímoron ni de otras pelotudeces de la retórica, en el jardín del desierto hay cientos, pero cientos de verdad, de cactos, cardones, arbustos y plantas xerófilas que florecen como si se tratase de orquídeas. Nunca imaginé que hubiera tamaña belleza en los desiertos, aunque debe tenerse en cuenta que la señora Huntington –pues ella se había ocupado especialmente de esa parte de la propiedad a la que solía llegar directamente en un tren desde New York– concibió y realizó el desierto de todos los desiertos, algo que sólo podía existir en la utopía californiana de aquellos supermillonarios.

3) Las exposiciones y los talleres de artistas argentinos radicados en Los Angeles. Me limito a referir el caso de Mariano Cinat, un muchacho de 36 años del que me hice amigo. José Kameniecki, del grupo de la revista *Francachela* y de arte lúdico en Buenos Aires, me

puso en contacto con él. Pero resultó que Mariano es sobrino nieto de Alfredo Bigatti y de Raquel Forner, sobrino asimismo de Tito Cinat, quien es novio de Miqui Castro, de manera que tenemos un montón de lazos comunes. La pintura del joven Cinat no carece de miga, la estudié con cuidado, le escribí un comentario a la próxima exposición que se hará de ella en Seúl y aproveché para firmar *qua Scholar* del GRI. Bastó la referencia, y el texto ha tenido, ya, un impacto fuerte en el *milieu.* ¡Qué tal! Me saqué las ganas.

4) El pozo de La Brea Tar, un sitio en la mismísima avenida Wiltshire, en plena ciudad, donde hubo desde la prehistoria y existe todavía un afluente natural de petróleo y asfalto, que forma una laguna oleosa donde se hundió y ahogó antaño un mamut. Los restos del animal, impregnados de hidrocarburos, conservaron buena parte del tejido muscular, de la piel y de los pelos. Así los rescataron los paleontólogos hace más de seis décadas y hoy se exhiben en un museo junto a la laguna sobre cuya ribera, en buena fibra de poliéster, han sido colocadas tres figuras de mamuts de tamaño natural, de un naturalismo impresionante. Uno de ellos parece hundirse, por supuesto, y se advierte su desesperación, la trompa y los colmillos hacia arriba, la boca que grita, una especie de *Laocoonte* del reino animal. Los otros intentan, impotentes, ayudarlo y también se los podría oír gritar. Tecnología, ciencia paleontológica, arte de la mímesis, se han unido y permiten asociar conocimiento y emoción de tal manera que la enseñanza obtenida está destinada a permanecer firme, largo tiempo, en la conciencia.

5) Conocí a Orlan, la artista que inventó el *body art* cuando convirtió su cuerpo y su cara, en constante mutación debido a las operaciones de cirugía plástica a las que se ha sometido, en objetos estéticos donde ella misma hace revivir las máscaras y las imágenes sagradas de toda la historia del arte (las de las civilizaciones prehispánicas sobre todo). Orlan es la mujer de un colega del Getty, Raphael Cuir, y me fue presentada en una cena de camaradería. Juro que tenía enormes prevenciones respecto de ella pero nunca mis prejuicios me alejaron tanto de una verdad conmovedora. Porque, primero, Orlan es una bella mujer a pesar de las aletas extrañas de siliconas que se hizo colocar por encima de los arcos superciliares y que le dan un

aspecto muy atractivo de mutante, y porque, segundo, me explicó en persona el significado de sus metamorfosis y me demostró con ello su inteligencia previdente y un sentido de la caridad que se encuentran bastante más allá de cuanto pude haber fantaseado. Orlan dice que el desafío de sus máscaras instala entre nosotros una presencia del futuro, la de las criaturas híbridas que la ingeniería genética creará muy pronto y a las que probablemente les negaremos los derechos de nuestra propia humanidad. Orlan nos anuncia hoy esa injusticia radical del porvenir. La querida amiga posee así una imaginación y una generosidad que han quebrado mis límites más lejanos.

Asumo un tono burocrático y te digo que, debido a todo lo expuesto, no resta demasiada cosa para contar de Los Angeles, salvo quizá las impresiones de los conciertos "argentinos" a los que fui gracias a Cachi Manley y el cuento de dos cenas, la que tuve en lo de Tami Sarfatti con Carlo Ginzburg y Alberto Gaiano y la que organizó en su casa, modesta y acogedora, Burton Frederiksen, ex director del Museo Getty, colaborador del propio Paul G. en persona. En ambas ocasiones, los efectos deletéreos del *gossip* que tanto temía desaparecieron para dar lugar a dos momentos de belleza e intensidad socráticos. Pero dejo todo eso para la carta final desde Los Angeles, más breve que esta sin duda. El viernes 24 de marzo abandono el *housing* y me voy a un hotel del aeropuerto. El sábado tengo el avión para Chicago a las 6 de la mañana. Hoy, te agrego varias imágenes en calidad de apéndices. Un abrazo grande,

Gastón

Los Angeles, 19 de marzo de 2006.

Caro,

te escribo a vuelapluma, no sobre lo prometido en la última carta sino para hacerte un comentario rápido sobre algunos contenidos de la enciclopedia del presente que suele ser el *New York Times* de los domingos. Me temo que cada día que me aproxima a mi partida del Getty, más me gusta este país y entiendo que Luis Buñuel haya dicho que los Estados Unidos eran probablemente el lugar más hermoso del mundo (aunque él no lo eligió para vivir, sino que se quedó finalmente con la alternancia entre México y París). Es que mi inmersión en la biblioteca de la UCLA durante la semana que acaba de pasar me hace ver las bibliotecas universitarias de Perolandia como sitios oscuros y hostiles, y eso que algo tuve que ver con una de ellas, pero aré en el mar. Puesto que procuro pasar el mayor porcentaje de mi vida laboral en las bibliotecas, sacá las conclusiones, mi existencia está condenada al gris y al enfurruñamiento.

Voy mejor al *NYT* del día de hoy, porque se me reveló como un compendio de la fuerza, la complejidad contradictoria, la riqueza humana, la lucha entre el heroísmo y la belleza, por un lado, la superficialidad y el egoísmo, por el otro, que es posible encontrar en una sola jornada en la vida de la sociedad norteamericana.

Cuerpo principal del periódico: una página entera y un poco más, consagrados a denunciar con fotos, descripciones pormenorizadas, testimonios, las atrocidades cometidas en un *Black Room* del campamento secreto Nanna de las fuerzas estadounidenses de ocupación cerca de Bagdad. Se puede ver allí la fotocopia de un memorándum enviado por el general Stephen Cambone a un subordinado suyo en Irak, en el que se le ordena "Vaya hasta el fondo de esto inmediatamente. Esto *no* es aceptable. [...]". Hojas más adelante, en la amplia sección de obituarios, donde cualquier norteamericano que merezca un memento, por pequeño que sea, encontrará su lugar, la noticia del fallecimiento de Madeleine Cosman, a los 68 años, *scholar* experta en historia medieval que acostumbraba cantar delicadamente madrigales y tomar su cena sin cubiertos, *to feel like medieval people*. Tal vez nos resulte ingenua semejante reconstrucción del pasado sin mediaciones, pero tiene su encanto. Después de todo, la Dra. Cosman buscaba recrear la emoción de lo cotidiano en el goce de la comida y del arte sencillo del canto, no andaba de cruzada matando moros por allí como hacen otros que no son *scholars*, precisamente, aunque machacan con la historicidad o la inevitabilidad histórica del uso de la fuerza para dirimir los conflictos entre los hombres.

Sección Artes y esparcimiento: otra página completa, destinada ahora a indagar las posibilidades de tener muy pronto una nueva gran ópera americana, más alla de *Porgy & Bess* y de *El cónsul* o *La medium*, a elegir hoy entre un *Volpone* con música de John Musto, una *Margaret Garner*, con libreto de la premio Nobel Toni Morrison y música de Richard Danielpour, una *Lisístrata* compuesta por Mark Adamo y un *Dead Man Walking* que la película sobre el caso real de un condenado a muerte (*Mientras estés conmigo*, en la Argentina) inspiró a Jake Heggie. Agréguese a estas consideraciones el comentario sobre los dibujos animados de última generación que intentan reducir al mínimo el peso de la palabra comunicativa y asumen el destino de ese tipo de cine, que es transmitir la mayor parte de los significados mediante la imagen (el articulista nos recuerda que ya Disney insistía acerca del lugar preferencial que la mímica debía tener en la animación cinematográfica).

Sección de la semana en perspectiva (un equivalente de los "Enfoques" en *La Nación*): una cantidad apreciable de cartas de lectores han sido agrupadas allí porque plantean la sempiterna cuestión de la moral de los creyentes y la moral de los ateos (hemos olvidado a Bayle, por lo visto, ya que ni él ni Hume son citados por nadie a propósito del tema).

Revista: un reportaje acerca de las mujeres que se rehúsan a formar una pareja para tener hijos y buscan inseminarse con el mejor Señor Esperma posible. Tantas egoístas descerebradas tienen la palabra en ese artículo que bendigo la libertad de expresión que nos permite leer también, en el mismo número del mismo periódico, la polémica sobre la moralidad de los ateos.

Sección Estilos: (o costumbres, quizá) del domingo: se anuncia que el *cartoonist* Mark Newgarden acaba de sacar un libro de historietas en el que se explora el sufrimiento propio y ajeno en clave cómica. El volumen se llama *Morimos todos en soledad*. El artículo confirma mis teorías expuestas en la última carta en torno al valor cognitivo universal que ha sido reservado a la historieta en la crisis cultural del presente.

Disculpá el aluvión, pero no quería dejar pasar la lectura comentada del *NYT*, porque desde hace varios domingos descubro, cada vez con mayor convicción de mi parte, el papel de constructor de una autoconciencia esclarecida, totalizante, que ese diario tiene en la civilización norteamericana.

Un abrazo y deseame suerte. Mañana es el día de la presentación de mi trabajo en el Getty frente a los colegas. No sé si será la sombra de Maggie Thatcher o qué, pero me aterrorizan los *Britons, with the traditional style of their approach to historical problems but also with their lightnings of deep and bold modernity at the same time.*

Gastón

Los Angeles, 24 de marzo de 2006.

Mi muy estimado amigo,

último día en Los Angeles, con un cierto desasosiego y algo de tristeza, pues abandono este sitio donde llevé vida de escolar a los 60 años. Había prometido hacerte comentarios sobre la música que escuché durante estos tres meses. Bien, fue gracias a Cachi Manley que asistí a tres conciertos en los que estuvieron involucrados ejecutantes y compositores argentinos. Eduardo Delgado, pianista, es amigo de Cachi, de su hermana Mónica y de su madre Elsa. Delgado cultiva el repertorio del siglo XX y organiza conciertos para amigos, como ensayo general de sus *performances* públicas, en el departamento que tiene en el edificio de Castel Green en Pasadena (Castel Green fue un hotel de los años 20, donde vieron grandes estrellas y directores de cine. Ahora es una casa de departamentos pequeños pero suntuosos, cuyos propietarios mantienen la construcción impecable gracias a que alquilan los salones, las áreas comunes del antiguo hotel, para saraos). Allí lo conocí y lo escuché por primera vez, cuando tocó con un joven ruso un Rachmaninoff embriagador para dos pianos. El ruso siguió con la sonata N° 3 de Prokofieff y Eduardo coronó la velada con una versión emocionante de los *Cuadros* de Musorgski. Una dama japonesa (una suerte de Jeanette Arata en el Sol Naciente, quien sigue toda la carrera de Delgado y lo ha llevado varias veces al Japón) había viajado especialmente con el marido para escucharlo en ese contexto. Conocí entonces a Patrick Scott, un musicólogo de Los Angeles que sabe cosas asombrosas acerca de los músicos argentinos, especialmente de la obra de Alberto Ginastera, a tal punto que me animé a alentarlo a que escribiese una biografía suya. Pude recomendarle la lectura de la obra de Suárez Urtubey acerca de Ginastera, bibliografía desconocida para él. Scott organiza, un sábado cada quince días en la sala de la First Presbiterian Church en Santa Mónica, un ciclo de conciertos de música contemporánea, al que le puso por nombre *Jacarandá*. Estuve en dos de ellos, el primero con obras de Ginastera (*Danzas Argentinas*, opus 2 para piano; *Dos Canciones*, opus 3 para soprano y piano; la *Pampeana* N° 2, opus 21 para cello y piano y la *Sonata* N° 1, opus 22 para piano), trabajos de Piazzola (*Adiós Nonino*, en versión para piano; *Tango-Étude* N° 3 para violín; *Chiquilín de Bachín*, en versión para cuarteto de cuerdas y que tradujeron como *Little Urchin of the Greasy Spoon*), más una obra del asombroso joven argentino-israelí-norteamericano Osvaldo Golijov, *Los sueños y plegarias de Isaac el Ciego*, una rapsodia interpretada por cuerdas, varios clarinetes y un saxo a cargo del mismo ejecutante, seductora combinación de atonalismo expresivo, fraseo melódico y *cantabile* y motivos muy salientes de música *klezmer*. Digo lo de "asombroso" porque el atractivo de su estilo hizo a Golijov merecedor de un homenaje en el Lincoln Center de New York, que se prolongó más de un mes y donde se escucharon sus partituras consagradas y otras nuevas hechas para la ocasión. Sin embargo, haber escuchado a Ginastera y, sobre todo, a Piazzola, con la perspectiva que da el ser entre el público un extranjero que comparte la patria con los autores de la música que a todos encanta, me permitió apreciar mejor que nunca la densidad y las cualidades artísticas de esos dos argentinos.

El segundo concierto *Jacarandá* estuvo casi todo él dedicado a Shostakovich, un trío, un cuarteto, un preludio y fuga para piano, a lo que se agregó el *Preludio en memoria de Dimitri Shostakovich*, compuesto por su alumno Schnittke en 1975. En verdad, si *Lady Macbeth de Minsk* me pareció, cuando la vimos en el Colón hace años, una ópera atrapante, pensé entonces que se trataba del juego escénico, ideado por Rostropovich, más que de la partitura a la hora de buscar el factor básico de la emoción estética. Pero la audición de la música de cámara de Shostakovich me mostró que ese artista ha sido uno de los mejores productores de ideas, desarrollos y efectos sonoros, destinados a crear un mundo musical donde los hombres del siglo XX podemos escuchar, meditar, dejarnos llevar por la secuencia melódica, asentarnos sobre un armazón armónico y sentir, al mismo tiempo, que el lenguaje artístico en juego es el de nuestro tiempo. Shostakovich rompió el hechizo clásico-romántico sin renegar del legado que recibió de los clásicos alemanes y de los románticos rusos. Pero claro, "preludio y fuga", contrapunto de las cuerdas y el piano en el trío y en el cuarteto, gracia, espesor sonoro, significado milagrosamente comprendido en el extremo más alejado respecto de cualquier cosa decible con palabras, todo ello logra que la referencia al compositor insoslayable, al hito absoluto de cualquier música humana esté allí para consolidar la experiencia estética contemporánea que nos ha propuesto Shostakovich. Me refiero a Juan Sebastián Bach. No habrá de ser una deuda menor que tengo con los Estados Unidos el haber aprendido a comprender y a compartir la admiración que sus melómanos sienten hacia Shostakovich.

Dos cenas, no la del *Banquete* platónico ni la del Jueves Santo, pero grandes cenas al fin, cerraron mi vida social en Los Angeles. Antes de volver por un tiempo a Bolonia para ir a encontrarse con la esposa, Luisa Ciammiti, Carlo Ginzburg me invitó a comer una noche a la casa de su amiga Tami Sarfatti, una señora israelí que enviudó de un argentino, de apellido Sarfatti precisamente, y que ahora vive en Los Angeles, donde trabaja como bibliotecaria asistente de David Hirsh (Hirsh es profesor de historia y política del Medio Oriente en la UCLA y junta, en estos momentos, para la biblioteca de esa universidad una de las mayores colecciones de impresos –libros, periódicos, revistas, folletos, panfletos–, realizados en árabe, persa y otras lenguas de la región, que exista en el mundo entero. Tami lo ayuda en semejante empresa). Cuál no sería mi asombro cuando, al entrar en casa de nuestra anfitriona, descubrí en las paredes unas reproducciones enormes de cuadros de Quinquela y una vista de la embajada francesa en la calle Arroyo pintada por Anikó Szabó. Es que el amor de la señora Sarfatti hacia Buenos Aires es grande, entusiasta y contagioso, se transmite en las historias que ella cuenta que le sucedieron cuando vivió en nuestra ciudad durante tres meses. Tami no hizo sino elogiar nuestra comida y las cantidades que los porteños nos servimos y comemos en los restaurantes, cuando la cena que ella nos preparó era algo exquisito: unos manjares sefardíes de carne finamente especiada, de verduras apenas rebozadas, de purés de berenjenas y garbanzos. Carlo, su amigo Alberto Gaiano que nos acompañaba y yo, comimos como Heliogábalos mientras Tami contaba sus aventuras porteñas. Carlo quedó tan entusiasmado con la perspectiva de ir a Buenos Aires que será necesario programar pronto algo. De tanto en tanto, comentábamos acerca de los libros que los tres varones de la velada habíamos frecuentado esos días en la *Research Library* de la UCLA. Según te he contado ya, Carlo demostró su conocimiento prodigioso de autores, obras, ilustraciones que circularon en la Europa de los siglos XVI al XVIII. Sabía, por ejemplo, que Bernardo Picart había dibujado unos grabados monumentales para la irreverente y algo incrédula enciclopedia de las ceremonias y cultos de todas las religiones de la Tierra, publicada en Amsterdam en 1723 por un conjunto de eruditos franceses calvinistas, refugiados en Holanda. Estaba al tanto de que ese ejemplar de 1723, al que yo me había referido, correspondía a una segunda edición del texto, pues la primera versión había sido publicada en 1710. Gaiano ironizó sobre la monstruosa memoria de Carlo. Conciliador como de costumbre, dije *in continenti* que, en todo caso, se trataba de una memoria bruniana y pienso que así es, en efecto: Carlo domina el *ars memorandi,* paradójicamente en la búsqueda y el hallazgo de lo desconocido. Esa sí que fue una comida de *scholars*, sin *gossip*, sin tensiones, en jocunda camaradería, que se nos pasó como un suspiro mientras hablábamos de libros antiguos, de tango y nos reflejábamos en las formas conviviales de la sociabilidad porteña, evocadas por la dueña de casa.

A la segunda cena fui invitado por Burton Frederiksen, antiguo director académico del Museo en la Villa Getty, ya retirado. Concurrí gracias a los buenos oficios de Alain Schnapp. Resultó que la esposa de Burton es Carla Togneri, aquella mujer exquisita que nos había recibido en el Museo Norton Simon. La casa de Frederiksen es muy sencilla, podría ser la del mismo Alain en Francia o la mía o la tuya en Buenos Aires, rebosante de libros, recuerdos de viaje, con muebles finos pero muy simples y cuadros, cuadros en las paredes, no de grandes firmas aunque siempre atractivos, dotados del alma que les ha dado nuestro cariño por ellos. En este caso, el propio Burton los había pintado y entonces me di cuenta de que había visto otros dos, obra suya, en la oficina de Carla en el museo. Son telas largas y estrechas, donde se ha representado una arquitectura con ventanales amplios o galerías que dan a un vergel. Un personaje, por lo general desnudo, descansa recostado a la izquierda y dos figuras entran corriendo por la derecha, pero son casi idénticas, salvo que la del fondo tiene menos ropa que la del primer plano. El conjunto recuerda algo a Balthus, aunque la luz es mediterránea, o californiana, porque en el fondo las luminosidades de Italia o Grecia y de la California meridional son muy parecidas. La conversación de la noche giró sobre las compras de arte del señor Getty en Europa, sobre el afianzamiento de la historiografía del arte y de la arqueología mediterránea en la inmediata posguerra, con Panofsky en Princeton, con Wilson y su escuela en Chicago. El diálogo incursionó de pronto en la política y entonces vi sin velos lo que hasta entonces sólo había vislumbrado. Alguien comentó una frase de Cheney y su eco en la boca de Condoleezza: "cuando se tiene el poder hay que usarlo como quiera que sea". Burton se puso sombrío: "Nunca había escuchado antes nada parecido en la boca de los mayores funcionarios de este país, ni siquiera Nixon o Reagan dijeron jamás algo semejante". El escándalo sentido y padecido aumentó cuando no recuerdo quién esbozó la relación que esa *Realpolitik* podía tener con la actitud filosófico-histórica de Leo Strauss. Para Burton, la tergiversación era tan absurda que convertía en grotesca cualquier contra-argumentación. Sentí que ese refinado *gentleman* norteamericano de otros tiempos temblaba de furor e impotencia cuando decía que nunca se había visto un presidente norteamericano que recibiera tantos signos de la repulsa mayoritaria de la población a su política y que, no obstante, siguiera adelante como si el apoyo fuera masivo, sin desviarse de las aviesas intenciones de fundamentalistas y aprovechadores, por ejemplo, el mismo Cheney, o Carl Rove, Rumsfeld o la Rice. El hecho consumado alcanzó, para él, su forma más grave con la designación de cristianos ultras en cientos de puestos clave en la Justicia federal. Aun cuando los demócratas ganasen las próximas elecciones legislativas y las presidenciales de noviembre de 2008, la revisión de constitucionalidad de las leyes seguiría por años en manos de personas que piensan que el fundamento de la nación estadounidense reside en la piedad cristiana reformada y no en la construcción de un estado republicano secular cuya finalidad habría sido, como lo dijo Hannah Arendt, garantizar el ejercicio de las libertades en la búsqueda de la felicidad en la Tierra. Si bien Burton no expresó nada contundente, pienso que es pesimista acerca del futuro, pues cree que ha habido un punto de inflexión hacia el autoritarismo, y tal vez hacia una nueva forma de fascismo, que los Estados Unidos no podrán ya desandar. El efecto de esa velada fue revelador para mí, así como lo fue una carta de Ezequiel Adamovsky que recibí paralelamente, también muy escéptica y contraria a mis entusiasmos declarados sobre una reinstalación futura posible de los *checks and balances* del sistema constitucional norteamericano. Lo cierto es que las consecuencias de la cena en lo de Burton fueron grotescamente contradictorias al fin de cuentas, pues llevado de no sé qué locura acerca del futuro argentino en materia de progresismo político y social (como si Kirchner diera garantías y esperanzas en ese sentido), a la hora de despedirme ayer y hoy de mis colegas y de los directores del Getty, tuve el caradurismo de decir a todos ellos (a todos, incluidos los *Britons,* quienes pensaron que estaba borracho a las tres de la tarde, y los galos, quienes tan mal no tomaron mi *ex abrupto*, visto y considerando que la revuelta parisiense de estos días hizo añorar a muchos profesores de la *École* –son palabras de Roger– la calma y la tolerancia reinantes en Puán), de decir a todos que, si Cheney, Rumsfeld o la Rice tomaban el poder, si la bestia sarkoziana se salía con la suya en Francia y así siguiendo, habría un lugar para ellos en la universidad y en la *scholarship* argentina. ¿Te das cuenta de hasta dónde puede llegar la ilusión de que, esta vez, frente a la tragedia del mundo, la Argentina decida comportarse como la nación civilizada que debió ser entre 1938 y 1946?

Comoquiera que sea, mi despedida resultó interminable y triste. Por suerte, ayer, mi día último en el Walhalla del Getty me quedaba poco por hacer y casi nadie sin saludar. Aproveché para hacer migas con un bibliotecario formidable, el señor Jay Gam, del Circulation Desk, el hombre que nos ayudaba a reunir los libros más dispares que necesitábamos los *scholars*, de quien supe a tiempo que era un pintor exquisito y tímido. Jay me hizo ver fotos de sus cuadros y lamenté en verdad no tener el tiempo para ir a ver las obras personalmente y escribir algo sobre ellas. Porque Gam demuestra conocer a fondo la pintura de Friedrich, de Church y de los luministas norteamericanos de la Escuela del Hudson, la pintura japonesa de los siglos XIX y XX, y el *ukiyo-e* (del que ha sabido extraer esa idea visual magnífica de que, en el perfil de las nubes o en el contorno de una montaña, el azul del cielo multiplica su intensidad y su saturación). Pero las imágenes de Gam son, más alla de esas citas y alusiones, el lugar de un descubrimiento plástico y poético que nos enseña a recordar de manera inédita las ilustraciones de cuentos e historias que hemos visto en nuestra infancia, cuando los hechos representados transcurrían en un bosque o frente al mar. La luna, su luz y la de las estrellas entre los árboles, el brillo de la superficie del océano, se transfiguran de la mano de Jay Gam para hacernos experimentar que lo familiar encierra algo ignoto, pero no en el sentido de lo siniestro, como descubrió Freud, sino en el sentido de una reconciliación de nuestra alma atribulada con la naturaleza, y entonces salimos reconfortados de ver los cuadros de Gam, aunque sepamos que la desesperanza nos espera a la vuelta de la esquina.

Perdón por el optimismo ingenuo sobre los Estados Unidos que han exhibido estas cartas hasta ahora. Sucede que, al parecer y debido tal vez a una pelotuda idiosincrasia psíquica con la que nací, mi temple de ánimo se desliza inconscientemente a la emoción panglosiana del

Huge moon and clouds, Jay Gam

Trees above fog, Jay Gam

mejor de los mundos posibles. Me lo ha hecho notar Frederic Bohrer en torno a mi *presentation* del lunes 20 de marzo sobre las versiones cómicas y proletarias de Ulises en el *Cinquecento*. Lo que me dejó patitieso es que el muchacho (no creo que Frederic llegue a los 40 años) llegó hasta mi oficina para agradecerme aquel optimismo, que yo no había notado ni menos procurado especialmente. Entonces, hoy, 24 de marzo, cuando te escribo pocos minutos antes de que Mariano Cinat venga a buscarme para llevarme al aeropuerto, coinciden el día primaveral de Los Angeles, la melancolía de la partida y el recuerdo de un día fatídico de hace 30 años. La emoción me lleva a pensar que, a pesar de las desgracias que se abatieron sobre mi familia, sintetizadas en la muerte de un joven y en la enfermedad dolorosa e interminable de otro, yo he sido un hombre afortunado, porque mi trabajo me condujo a la familiaridad con tantas obras que forman el haber de la humanidad y porque he sido amado sin límites, por encima de mis flaquezas y fealdades, durante 35 años por la misma mujer con quien inicié este viaje y quien, dentro de muy poco, vendrá a mi encuentro para terminarlo. A ello puede deberse el que suela mostrarme tan optimista.

Un abrazo,

G.

Chicago, 26 de marzo de 2006.

Querido,

perdón, nuevamente, por el optimismo, pero ¿cómo no sentirse borracho de alegría cuando nos ha tocado la suerte de llegar a semejante ciudad en un sábado de cielo límpido, no demasiado frío para el lugar tan *windy* que se me había anunciado? Las multitudes de burgueses, pequeños y grandes, de proletarios, de ancianos y jóvenes, de niños en coche o en brazos tapados por igual hasta las orejas, de *homeless* y de cientos de señoras cubiertas de pieles hasta el piso, de amantes de las artes y de amantes de los patines, se han volcado a la *Michigan Avenue*. Comparten el sol y la visión de una de las arquitecturas más tenazmente bellas del mundo. Digo lo de "tenaz" porque en el eje paralelo al lago Michigan que forman la avenida de ese nombre y sus paralelas, Wabash Avenue, State y Clark Streets, se concentran ciento veinticinco años de arquitectura y de urbanismo modernos. Supongo que ha de ser algo parecido a lo que se ve en San Petersburgo y su siglo y medio de palacios del barroco tardío y del neoclasicismo, con la diferencia de que en Chicago la belleza sería un efecto secundario hasta los años 1920 y no el propósito principalísimo que fue desde un principio en las construcciones al borde del Neva. (Acepto que el punto sea harto discutible pues, ya en fecha tan temprana como 1907, Frank Lloyd Wright colocaba los esplendores de los materiales y de la luz en la ecuación de sus reformas al Rookery, levantado en 1888. Además, ¿por qué no incluir al propio Sullivan, inventor del rascacielos, entre los arquitectos de la belleza, si tenemos en cuenta los interiores que él diseñó con Adler en el Auditorium de 1889, en la intersección de Congress Parkway y South Michigan?) Por otra parte, Chicago, merced a su pasión juvenil por los rascacielos, comparte también con San Petersburgo, levantada en uno de los sitios más inhóspitos del planeta, el impulso al desafío de cuanto parecía imposible.

Intentaré poner orden en la narración. En el aeropuerto de O'Hare, me tomé el tren por sólo dos dólares para llegar hasta el *downtown*. Roger me lo había sugerido por teléfono y el consejo no pudo ser más feliz. Vi en detalle los barrios de casas de madera, de esas que el pueblo norteamericano elige entre centenares de modelos prefabricados y que el cine nos ha mostrado desde los estados sureños y el Middle West hasta California. Yo diría que el porche con baranda y columnillas, que suele transformarse en galería de la fachada completa, es un rasgo casi constante y distintivo. Me enteré más tarde de que se llaman *balloon-frame houses*, porque sus estructuras se levantan en el mismo tiempo que se tarda en inflar un globo, o bien porque el primer aire que sople con algo de fuerza se las ha de llevar consigo. Lo cierto es que se trata de una creación de los constructores de Chicago antes del Gran Incendio que devoró la tercera parte de la ciudad en 1871. Al cabo de un tiempo de andar, los barrios se hicieron más urbanos, con su calle recta ocupada por los establecimientos de comercio y los talleres del artesanado; prevalece allí la uniformidad de las fachadas y las casas están pegadas unas a otras por la medianera. Fue bueno viajar en tren por cuanto se superpusieron dos visiones: la de la vivacidad, la regularidad y los colores vivos de la calle principal *versus* la de la soledad, la desprolijidad y la monotonía cromática de los patios traseros. Sería demasiado fácil descubrir en esa percepción dual y simultánea de lo evidente y lo oculto un símbolo arquitectónico de la existencia, ubicada entre los brillos exteriores del *business* y la sordidez de la intimidad, que protagoniza el hombre común de las ciudades modernas bajo el capitalismo. No obstante, algo de ello han puesto de manifiesto la pintura realista de los años 20 y 30 y los escenarios del cine norteamericano. Cuando el tren se convirtió en subterráneo, ingresamos al *loop* y todo pasó muy rápido. De una estación a la otra, son sólo dos o tres minutos. Bajé en Jackson y salí como pude a la superficie, arrastrando mis bártulos, los traídos de la Argentina y los acumulados durante los tres meses californianos. Comprendí a qué se le llama *loop*: a la red aérea de trenes o *trams* que se levanta sobre las calles del *downtown*, que tiene varias curvas de 90° y otros desvíos muy parecidos a un "rulo" si se los ve desde la calzada, justo debajo de los rieles. Porque las vías del *loop* pasan a la altura del segundo piso de los rascacielos circundantes, por el medio de la calle, que así parece un túnel hecho de tramos metálicos. Nuevamente, ¡cuántas veces habremos visto en el cine persecuciones a través de esas calles-túneles! Sin embargo, nunca pude tener, hasta ahora, la idea cabal de cómo era esa primera ciudad con un espacio común tan radicalmente transformado por la tecnología moderna del transporte.

Al salir de la estación Jackson, un negro joven y simpático que vendía el *Street Wise*, un equivalente del *Hecho en Buenos Aires*, me preguntó si no andaba perdido. Le dije que agradecería mucho su ayuda. El hombre se presentó: "Soy Brian, hombre muy religioso y tengo una familia numerosa". Aquello ya no fue de película sino digno del *Guzmán de Alfarache,* porque nuestro diálogo pudo haber sido escrito por Mateo Alemán. Yo, José, un señor Licenciado; Brian, un pícaro generoso y decente, que se la pasó mirando al cielo y bendiciendo al otro Señor en cada esquina por haberme encontrado. Me mostró las primeras maravillas arquitectónicas de Chicago y me señaló la biblioteca Harold Washington, la biblioteca pública más grande del mundo, un edificio palaciego de granito con arcos monumentales y un techo de cobre cuyos acroterios son unos búhos con las alas desplegadas, sin duda símbolos de la sabiduría. Yo estaba estupefacto y dije: "Esto habrá sido construido en los años veinte, (y para mis adentros) cuando en Buenos Aires Mario Palanti hizo el Barolo". "No, señor [Licenciado], me replicó Brian, yo estuve presente cuando lo inauguraron en 1991. El arquitecto se llama Thomas Beeby y ganó un concurso para levantar esto, que lleva el nombre de quien fue el primer alcalde negro de Chicago". ¡Tomá mate con chocolate! Ahí bendije yo al otro Señor por haberme puesto a Brian en el camino. Llegamos por fin al hotel, sobre la Michigan Avenue, y nos despedimos. Por supuesto que tengo aquí números del *Street Wise* como para poner un quiosco, pero han sido los dólares mejor invertidos del viaje. La perspectiva exterior del hotel (el Congress Plaza) casi me dejó sentado. Es otra maravilla de los veinte, un poco venido a menos y por ello la calificación del albergue es de dos estrellas. Igual me siento de perlas, en el *lobby,* en la habitación, grande, cómoda, de techo alto, con vista al Auditorium de Adler-Sullivan, para mejor a la altura de mi bolsillo, que vuelve a hacerse sudamericano a tambor batiente.

Idéntico gesto de entusiasmo al que tuvimos con Aurora en San Francisco (¡cómo la extraño ahora!): largar las valijas, correr a la calle, encontrar una guía de la ciudad, comprarla y empezar a caminar, me curaron de todos los dolores de espalda y de cuello que me habían atenazado desde el momento mismo de armar el equipaje en Los Angeles. Basta cruzar la Michigan hacia el lago y, a pocas cuadras en dirección norte, está el Millennium Park, especialmente remodelado para el 2001. Ingresé al parque por el rincón de la Water Fountain, que diseñó el catalán Jaume Piensa a partir de dos prismas rectangulares de varios metros de altura en los que, día y noche, se proyectan las caras de personas que mueven los ojos, sonríen, se ponen serias. A pesar de su tamaño, esas caras son presencias que sentimos como algo por completo semejante, vivo y próximo a nosotros. Dado que van cambiando cada diez minutos y retratan seres humanos de los dos sexos, de todas las edades, etnias y colores, el resultado de la visión es muy enaltecedor, porque estimula la sensación de diversidad y fraternidad. En el eje principal de los jardines, algo sobreelevada, se levanta una escultura que representa una gota gigante, no una gota que cae sino que tiende a extenderse sobre el piso y adopta la forma de un disco grueso y sin bordes. El escultor, el inglés Anish Kapoor, usó para recubrirla una aleación brillante que, pulida, se convierte en el mejor de los espejos, de manera que todo el espacio circundante se refleja sobre la superficie curva de la gota como sobre un espejo convexo continuo. Recuerda la esfera de la geoda en La Villette en París, pero el efecto de la reflexión es más extraño en este caso porque la esfera ha sido reemplazada por un elipsoide de revolución. Kapoor la llamó "Portal de la nube", *Cloud Gate*, ya que funciona a modo de acceso principal del parque. Entre las personas, los árboles, el pavimento y la línea de los rascacielos que se reflejan en el objeto, descubrí enseguida una forma extraña en el interior del parque. Giré la cabeza y vi entonces una de las superficies alabeadas de titanio que llevan estampada la firma de Frank Gehry. Igual que en Los Angeles, Gehry construyó en Millennium Park un Musical Pavilion.

Continué mi camino por Michigan hacia el norte, dejé a mi derecha los dos Prudential Buildings, bien diferentes entre sí, y me dirigí hacia el puente sobre el río Chicago en cuyos cuatro pilares hay unos relieves alegóricos y evocativos del Gran Incendio, claramente inspirados en los grupos que Rude colocó en los machones del gran Arco de Triunfo en París. Se abría frente a mí el tramo norte de la Michigan, el llamado Magnificent Mile. Me detuve a observar el Wrigley Building y la torre neogótica del *Chicago Tribune*, pero no seguí adelante porque caían la noche y el frío del lago. Preferí volver hacia el *core* del *downtown* y seguir el Wacker Drive donde me esperaba un edificio curvo, el Marina Building, dos torres que se forman por la superposición de plataformas alveoladas que, hasta el piso 10 aproximadamente, se usan de *parking* público, de manera que, desde lejos, se tiene la sensación de estar viendo un muestrario de autitos de juguete. Bajé por Clark Street y me topé con otro edificio curvo: esta vez, un cono truncado de cristal, del todo transparente, que es el centro de actividades culturales del estado de Illinois; su transparencia tiene por finalidad simbolizar la esencia del gobierno democrático. Frente al ingreso, una escultura de Dubuffet, blanca en sus caras y de aristas oscuras, exalta un cierto primitivismo que se contrapone a la ultramodernidad estética y técnica del cono, pero que quizá se vincule a la noción de una democracia originaria, en el *prodromos* de la historia. La de Dubuffet fue la primera de una seguidilla de esculturas monumentales que se me aparecieron a lo largo de Clark y Dearborn streets. La segunda fue una máscara metálica enorme, de claras reminiscencias africanas, hecha por Picasso en los 60; enfrente de ella, la figura surrealista de una mujer que alegoriza la ciudad de Chicago, realizada en bronce, cerámica y mosaico por Joan Miró; luego, un paralelepípedo recubierto de mosaicos sobre las *Cuatro Estaciones* que diseñó Marc Chagall y, por fin, un arácnido gigante de Calder a la vuelta del edificio Rookery. En los museos, a menudo he querido imaginar cómo sería toparse con las esculturas modernas, aumentadas a una escala equiparable a la de los espacios urbanos de hoy y situadas en las calles de una ciudad llena de gente. Siempre quise ver así, por ejemplo, transformada en monumento, la maqueta que Noemí Gerstein hizo para el proyecto de un memorial del prisionero político desconocido y que se conserva en la Academia Nacional de Bellas Artes en Buenos Aires. Ayer por la tarde, en Chicago, tuve la experiencia directa de mi desvarío frente a esas estatuas y al mosaico en la calle, fabricados por cinco grandes artistas de la revolución estética del siglo XX. La sensación resultante es un asombro antiguo, esa sorpresa que debió despertar la curiosidad del filósofo primitivo y que ahora se desencadena en medio de la ciudad ultramoderna de los rascacielos. ¿Qué es este objeto, qué hace aquí y qué significa? Ninguna de las respuestas posibles es exhaustiva. Ni de lejos. Y está bien que así sea. Pues esas obras, adquiridas quizá como el signo de un *status* superior de riqueza, refinamiento y poderío, terminaron

Marina Building, Chicago, Illinois

por producir un efecto inesperado, paradójico, contradictorio, al representar el desasosiego, la fuerza y la magia de lo desconocido en las plazas públicas que han dejado las moles de la arquitectura más audaz, y a la par mejor fundada en una tecnología del cálculo y la previsión racional, del capitalismo. A decir verdad, los ejemplos del arte monumental en Chicago me demostraron hasta qué punto sus equivalentes mucho más contemporáneos en las plazas del *downtown* de Los Angeles son piezas bellas o interesantes (logran que el ojo se excite por unos momentos), pero frías, superficiales y meramente decorativas en un espacio que si se mira desde un auto o desde un avión, a toda velocidad, tanto mejor para los dueños de los edificios y los usurpadores de lo público (¿acaso el *body-guard* de la Wells Fargo no estuvo a punto de torcerme el cuello porque yo sacaba fotos del edificio de su empresa desde la vereda abierta de una avenida?) Los amigos Chagall, Picasso, Miró, Calder y Dubuffet plantearon otra cosa. Ejercieron, como grandes artistas que fueron, la libertad del pensar y del sentir. Gracias a ellos, nosotros hoy vislumbramos nuestra propia libertad, si no despedazada, en grave riesgo de serlo. No debí olvidar que Chicago fue una ciudad de hombres libres, que protagonizaron grandes jornadas de lucha por la dignidad del trabajo y la justicia en la Sublevación del Pan en 1874, en la huelga de los ferrocarriles de 1877 y en las manifestaciones del Haymarket en 1888, cuando se levantó el reclamo por la jornada de ocho horas. A esos valientes recuerda la fiesta internacional del 1° de mayo. Por lo tanto, mañana iré a recorrer los sitios de aquella historia y visitaré Hull House, la casa donde desarrolló su actividad de organización y ayuda popular quien fue la síntesis más extraordinaria de aquel movimiento: Jane Addams, militante y filántropa, nacida en Chicago, premio Nobel de la Paz en 1931 (como en el caso de la música rusa contemporánea, cuyo goce debo al aprendizaje de mis días en los Estados Unidos, también mi reconocimiento es grande en cuanto a la memoria que me llevo de las grandes luchadoras sociales norteamericanas, de la Addams a quien acabo de citar, de Coretta King, esposa y compañera de combate de Martin Luther King, quien murió hace muy poco, y de Rose Parks, fallecida también en estos meses, la anciana que, siendo una muchacha, dijo no a la segregación racial en el transporte público de Alabama y encendió la mecha de la protesta civil).

Bien pues, para terminar, vuelvo a mis andanzas y obsesiones estéticas. Después de todo, mis colegas me han encerrado en el campo de la historia de las artes. Hoy, domingo, estuve toda la jornada, de 10.00 a 17.00, en el Art Institute de Chicago. Quedé exhausto, porque es uno de los grandes museos del mundo, tiene colecciones de todo el pasado humano en todas las regiones de la Tierra, de modo que se entra allí (lo mismo sucede en el Louvre, en el British Museum o el Metropolitan) y se puede recorrer la historia completa de los hombres sin salir del recinto. Por supuesto, tuve que elegir y me concentré en la pintura europea desde el Renacimiento hasta la actualidad y en la pintura norteamericana de los siglos XIX y XX. No te voy a aburrir con una enumeración de cientos de cuadros, archiconocidos la mayoría, desde la *Dolorosa* de Dieric Bouts, las seis tablas de la historia del Bautista que pintó el sienés Giovanni di Paolo y una de las *Dánaes* de Tiziano hasta la *Grande Jatte* de Seurat, el *Guitarrista ciego* de Picasso, la *Mujer frente al caballete* de Braque y los *Nighthawks* de Edward Hopper. Sólo recordaré algunas obras inesperadas, que se salen de los promedios o las fórmulas más corrientes adscribibles a tal o cual artista. Hay, por ejemplo, un retrato de Alessandro de Medici, pintado por Pontormo, que si no es la efigie perfecta de la depravación de un tirano, yo no entendí nada de nada. O bien un Jesús bebé y un San Juanito de Joos van Cleve, quienes se besan y se abrazan de tal manera que no me explico cómo el cuadro no ha sido objeto de algún estudio *queer*. O una *Resurrección* que Cecco del Caravaggio pintó para la familia Guicciardini en 1619, una de las representaciones del tema más verosímiles que he visto en mi vida. O un Olimpo para morirse de risa, hecho por el flamenco Janssens en el siglo XVII. Un niño sobre un carnero, obra temprana de Goya, tal vez diseño para un tapiz, que me pareció la versión moderna de la niñez de Baco. Un retrato de hombre, pintado por Fragonard, que se aparta de cualquier estilo galante debido a la intensidad satírica de la expresión. La litografía del *Apóstol Journet*, con sus poemas a propósito de sus vagabundeos en procura de la armonía universal, grabada por Gustave

Courbet en 1850. Un retrato de bailarina española, envuelta en encajes blancos, de un realismo alambicado muy 1900, hecho por Natalia Goncharova, bien lejos de las aventuras del rayonismo y de la vanguardia rusa. Un retrato de *Juanita Obrador*, obra temprana, expresionista, de Joan Miró. Si alguna vez vi una caja aislada del surrealista norteamericano Joseph Cornell, ahora he visto decenas de ellas y me temo que muchos que pasan por originales en la Argentina tienen un espejo lejano en el pasado donde mirarse. Una revelación parecida tuve con las locuras del rumano Victor Brauner, quien pintó un cuadro, *Acolo* (*Ahora*, en lengua rumana), el cual podría confundirse con una imagen mesoamericana precolombina. El mármol blanco de la *Negra blanca*, tallado por Brancusi, también es un trabajo para desternillarse de risa. Por fin, los norteamericanos, que son unos pintores refinadísimos y descubridores de caminos no transitados por la representación europea, desde que Samuel Morse pintó en 1833 una tela sobre las telas exhibidas en el Louvre hasta que John Singer Sargent y James Whistler mostraron que el impresionismo francés no había agotado ni lejanamente el problema de la percepción luminosa y cromática. Del mismo modo, Hopper, Andrew Wyeth y Georgia O'Keefe supieron ir más allá de las convenciones del realismo al tiempo que permanecieron o volvieron a ser extraordinarios pintores realistas.

A la salida del Art Institute, nueve adolescentes afro-americanos aprovechaban la afluencia de público para desplegar sus habilidades de bateristas. Les bastaban tachos de plástico vacíos y dados vuelta, que percutían con dos palillos, los nueve al mismo tiempo y sin olvidar el hacer malabares en forma alternada: cuando cuatro batían el parche, los otros cuatro se entretenían en una cabriola combinada con las baquetas, mientras el noveno esperaba un momento especial en el que demostraba conocer todas las técnicas instrumentales y se transformaba en un virtuoso que reíte de Gene Krupa. Yo me figuraba al productor de cine o de Broadway, que pasaba por casualidad y advertía la genialidad de esos muchachos, trataba de contratar al más diestro, quien se negaba a menos que el trabajo involucrara a todo el grupo: el productor rechazaba la propuesta del joven, que volvería desde entonces y por muchos años a tocar frente al Art Institute por las mismas monedas de siempre. ¡Qué peliculón!, pero nada de todo eso sucedió frente a mis ojos. *Enough*, viejo, que estoy cansado. Leeré el *New York Times* de este domingo y me voy a dormir. Mañana me aguarda el periplo histórico y, luego, parto a Filadelfia por la tarde. Roger y Antonio Feros me esperan en la ciudad de la Independencia norteamericana. El martes tendré que pasar otra ordalía. Pero, ¿por qué corchos uno dice que sí a tamaños suplicios, me querés decir, como el de hablar 20 minutos en inglés sobre un tema del que te olvidaste casi todo (en cuanto a mí, es la estética de Pierre Bayle) para que después los gringos en su jerigonza, en su babila infernal, te acribillen a preguntas? Maldito orgullo del *scholar*, desgraciada presunción de quien se cree tan canchero e inteligente como para desafiar a cualquier colega que se nos atraviese en el camino. ¿O será una nueva forma de la expectativa perenne que sufrimos los argentinos acerca de la redoblona inminente que nos merecemos? Porque, si estamos brillantes en la *presentation*, ¿quién te dice? A lo mejor los yanquis quedan boquiabiertos, nos contratan y chau Perolandia, el tripartito y la c... de la lora. Bueno, querido amigo, ya ves que me desboqué. Mejor me tomo un margarita y me voy al sobre. Un abrazo grande,

G.

Filadelfia, 29 de marzo de 2006.

Querido amigo y colega,

caí en la desilusión el lunes por la mañana cuando encontré la Hull House cerrada y mi homenaje a Jane Addams quedó en agua de borrajas. El viaje me insumió casi dos horas entre la ida y la vuelta, de manera que sólo tuve tiempo para caminar hasta la costa del lago Michigan a través del Grant Park: parece un mar, mucho más grande que nuestros lagos glaciares del sur y aun que el Titicaca; desde la orilla es imposible divisar la otra ribera y tampoco hay montañas altas a su alrededor que puedan distinguirse a lo lejos. Por otra parte, sus aguas son celestes, verdosas, e impresiona no sentir ni el más leve atisbo de sal en la boca. Pero el viento que sopla desde el noreste me retrotrajo a la sensación marítima. El regreso al aeropuerto, por el mismo medio de la llegada al centro de Chicago, me dejó muy cansado. No encontré a Brian para que me diese una mano y, además, los pelos de los costados de la cabeza me han crecido más allá de cuanto ha sido habitual en los últimos años, pues me negué a ir a la peluquería en Los Angeles. Habría tenido que solicitar una cita con una semana de anticipación, como si en lugar de cortarme el pelo hubiese tenido que operarme del cerebro, y encima pagar 40 dólares, la tarifa habitual de cualquier tonsura en California. Lo cierto es que tanta pelambre blanca que me descubrí esa mañana en el espejo se sumó a la noticia que me dio Aurora de que, *Deo gratias*, seremos abuelos en noviembre (será un vástago de Lucio y Lucía), y la convergencia me hizo sentir tan anciano que de seguro eso aumentó el cansancio, provocado por el andar tironeando bártulos cuyo tamaño aumenta sin límites debido a la compra de libros. La noticia también me conmovió en el plano de mis divagaciones estéticas (en realidad, creo que ya exagero, pero no soy el único que ve en la experiencia histórica de las artes el *desideratum*, el precipitado más completo de las culturas y civilizaciones). Digo que la idea de ser abuelo me rondó continuamente al revisar, en el avión a Filadelfia, las fotos de obras que me procuré en el Art Institute: en muchas, creí redescubrir la representación de una vida que fluye y se renueva, como la que pasa de los padres a los hijos, un sentimiento que reaflora a cada instante por cualquier motivo, una pareja que veo en el parque empujando el cochecito de un bebé, los estudiantes que encontré en Penn y que me parecieron aniñados, ingenuos, frescos y gentiles, igual que un adolescente de la propia casa que va a la escuela. Y otra vez, en el Museo de Arte de Filadelfia, del que enseguida te contaré, las visiones de las natividades, de los mitos antiguos de nacimiento y crianza de pequeños dioses, de las escenas sentimentales de género, a la Greuze, que se reprodujeron *ad nauseam* en los siglos XVIII y XIX tanto en Europa cuanto en las Américas, me recordaron una y otra vez, "serás abuelo, aprendé de Victor Hugo". Ni qué decirte la emoción que tuve al toparme con un gran bronce, de Rodin, que es su proyecto para el monumento a Hugo, precisamente, y que se encuentra en el *hall* de entrada de aquel museo. Pero, en verdad, debo retomar el hilo de mi viaje, pues desembarqué en Filadelfia alrededor de las ocho de la noche y me esperaban Antonio y Roger. Fue una dicha encontrar sus caras familiares y queridas y hablar castellano sin que el cerebro me diese vueltas en busca de las palabras, las preposiciones adecuadas de los *phrasal verbs*, las diferencias entre el *her*, el *his* o el *its* que me vuelven loco, pues mi tendencia latina irrefrenable es a hacer la concordancia del posesivo con el objeto y no con el sujeto. Mis amigos me trasladaron al hotel Latham, donde deposité las valijas, un albergue histórico en pleno centro de la ciudad, y me metieron *in continenti* en un restaurante muy alegre. Comimos de perlas, tomamos vino argentino riquísimo y nos entregamos al *gossip* académico norteamericano, sin pudor de mi parte, ya que me di cuenta de que mis tres meses en el Getty me habían convertido en una fuente de preciosas informaciones sobre la *scholarship* del oeste. Fuimos a visitar la casa de Roger, muy cerca de allí –un departamento precioso en un piso 21 con terraza para organizar *parties*–, y luego Roger me acompañó a pie hasta el hotel. En este barrio antiguo de Filadelfia donde vivimos, la monumentalidad se desvanece, todo tiene la escala humana de una ciudad de Europa o de Sudamérica que no sea una capital con las pretensiones de París, Londres, Berlín, Madrid, Río o Buenos Aires.

La misma sensación de un espacio abarcable se me impuso la mañana siguiente cuando caminé hasta la Universidad de Pennsylvania y conocí el *campus*, algo muy distinto de los equivalentes en Berkeley y en UCLA que frecuenté en California. El *campus* de la UCLA es algo inmenso, una ciudad dentro de Los Angeles, con edificios para los departamentos de las ciencias y las artes, con varias bibliotecas, que remedan rascacielos o bien los monoblocks de viviendas que suelen verse en los accesos a los aeropuertos. Hay *parkings*, *stops*, indicaciones ruteras y *driveways* que recorren el dominio. El *campus* de Penn es más chico y se puede ir a pie de un extremo a otro de la

Museum of Art, Philadelphia, Pennsylvania

universidad, por distantes que se encuentren, en diez minutos a lo sumo. Por supuesto que, en Penn, igual que en Berkeley, UCLA, Santa Bárbara y, según colijo, en todas las universidades norteamericanas, el corazón de sus actividades y el elemento ordenador del espacio común es el edificio de la biblioteca principal. Es más, Alain Schnapp me dijo que en este país, si un conjunto de *colleges* aspira a formar una universidad, la condición *sine qua non* para ello es disponer de un acervo común de cien mil libros por lo menos. Podríamos tratar de imitar a nuestros colegas yanquis *among the Argies*. Y, por qué no, extender la imitación, fuera de las universidades, a las bibliotecas públicas que, si uno compara las nuestras con las que ya llevo vistas en los barrios más remotos de Los Angeles, en Santa Mónica, en Chicago (de la que te conté algo) y ahora en Filadelfia (insisto, me refiero a las bibliotecas de ciudad, a disposición de un público mucho más extendido que el de una comunidad universitaria), pues entonces del parangón sólo queda rumiar ira y desesperanza. Pero sigamos adelante con mi estación en Penn.

Mis dos conferencias aquí, la que di en castellano sobre las Sibilas de San Telmo y, sobre todo, la que leí y discutí en inglés acerca de las ideas estéticas de Pierre Bayle (era uno de los Annenberg Colloquia en realidad), me resultaron más gratificantes que la *presentation* en el Getty. No porque me sintiese más cómodo con los temas, al contrario, los tuve que repasar bastante porque hace tiempo que escribí los artículos respectivos. En el Getty, en cambio, las aventuras de Ulises las tenía fresquísimas y pletóricas dentro de mi cabeza, después de estudiar el asunto día y noche durante tres meses en aquella biblioteca inmensa. No hay duda de que me sentí más dueño de un inglés que sigue siendo muy rudo, pero que se ha cubierto de una fluidez mayor. Por otra parte, a la conferencia de Penn asistió nada menos que David Ruderman, historiador especialista en judíos de la diáspora hispánica en la modernidad temprana, cuya obra conozco y admiro. El profesor Ruderman parecía asentir con la cabeza ante algunas de mis respuestas, factor que me dio más coraje y me soltó la lengua. Desde ya que la presencia de Roger a mi lado fue un elemento tranquilizador. Yo sabía que, si mi comprensión de las preguntas naufragaba, Roger me asistiría con largueza. Pero no fue necesario su auxilio, que sólo se tradujo en un comentario elogioso de cuanto había presentado. Tras el coloquio, se había organizado una cena con vinos chilenos y argentinos. Roger y Antonio estaban exultantes y contaron miles de anécdotas que hicieron las delicias de los doctorandos. Dado que Roger partía a la mañana siguiente a Puerto Rico –para dar unas *lectures,* desde ya–, los estudiantes querían saber si el circunspecto profesor iría a las playas y al guateque, ante lo que me animé a meter el bocadillo de la leyenda apócrifa según la cual Chartier escribió un artículo en un hotel de Río cuando tronaba el carnaval carioca en las calles. Carcajada general, Roger incluido. Pero no todo fue tanto jolgorio en la cena, que se prolongó, inusualmente en esta tierra, tres largas horas. También hablamos de historia, de los proyectos de cada doctorando, y así pude acapararme a un joven ucraniano emigrado que se dedica a la historia norteamericana de los siglos XVII y XVIII. Lo que aprendí de su exposición me sirvió una barbaridad en el día de hoy, cuando recorrí la Filadelfia antigua.

En efecto, hoy me compré una guía de la ciudad y la *Autobiografía*[7] de Benjamin Franklin, un personaje que este año concita mucha atención porque se festejan los 300 años de su nacimiento y que, como bien sabés, fundó en la práctica la Universidad de Pennsylvania a partir de la aplicación de sus célebres *Proposals Relating to the Education of Youth,* escritos en 1749. Por ello, la dicha universidad publicó, en 2006, una nueva edición de la *Autobiografía* con notas, comentarios y artículos, en el marco del llamado Penn Reading Project. Te preguntarás qué es este proyecto. Algo muy sencillo, un comité de alumnos y profesores propone un libro por año para una gran discusión en pequeños seminarios, que se reúnen los sábados a la mañana en todos los *colleges* e institutos de la universidad. Durante el año previo, la universidad edita el texto en inglés, si no hubiera una versión buena y accesible previamente. La discusión, los comentarios, las interpretaciones son absolutamente libres y, cada tanto, la institución invita a un especialista a dar una conferencia sobre algún tema concerniente al libro de marras. No te haré la lista

[7] Benjamin Franklin. *Autobiografía y otros escritos,* 3ª ed., México, Porrúa, 2000.

de los libros leídos y debatidos cada año, pero baste señalar que el programa arrancó con *Las Bacantes,* de Eurípides, y por allí anduvieron el *Frankenstein* de Mary Shelley, y *La Metamorfosis,* de Kafka. El 2006, entonces, fue el turno de la vida de Franklin y, gracias a eso, adquirí por unos pocos dólares este bello libro, rebosante de sinceridad y benevolencia, que me devoraré en tres días y que me sirve para comprender tanto mejor lo mejor de este pueblo. Claro que podrás decirme que del *thrift*, del *self-control*, del *time is money* y otros lugares comunes extraídos de los textos de Ben, también ha nacido a la larga mucho de lo peor de los estadounidenses, sobre todo en materia de instituciones públicas, siempre deficitarias, de seguridad social, previsión y cobertura colectiva de los riesgos que acostumbran correr las personas debido al mero hecho de vivir. Sí, eso es cierto, pero puedo contestarte que semejante ausencia de solidaridad y aquellas descalabradas consecuencias en el fin de la cadena, como corolario de sus ideas tan sencillas de autoconstrucción y automejoramiento de los individuos, el pobre Ben jamás se las soñó, porque él creyó en la filantropía, la fraternidad, el bien común. La ciudad se encuentra jalonada por las instituciones que Franklin imaginó y contribuyó a hacer funcionar para cumplir esos fines: escuelas, asociaciones de artesanos, talleres, bancos de crédito y la American Philosophical Society, que todavía funciona y tiene su biblioteca a unos pasos del Independence Hall. No necesito decirte que hoy me dirigí a ambos sitios, me asombré con la austeridad de la casa georgiana donde se proclamó la independencia y se redactaron los dos textos constitucionales del país (sencillez de la Revolución Norteamericana frente a la grandilocuencia de los espacios y de las multitudes que caracterizaron a las revoluciones inglesas –recordá la decapitación de Carlos I– y a las francesas –en este punto no son recuerdos ya los que abundan, sino automatismos–), apenas me detuve a mirar la Campana de la Libertad, que me interesó más por su relación con el abolicionismo que con la independencia, y sí que desgrané horas en la biblioteca, donde recorrí los dibujos a la acuarela de la fauna y la flora americanas que hizo Charles Wilson Peale a comienzos del siglo XIX y donde leí, uno a uno, los documentos reunidos por la Philosophical Society para una exposición acerca de las relaciones de Franklin con la princesa Ekaterina Dashkova, la primera mujer que presidió una academia nacional de ciencias en San Petersburgo (*lo sapevi? Nemmeno io. Lo sapranno le amazone dell' Istituto degli Studii di Genere a Buenos Aires?*), gran amiga de nuestro Ben y la editora en ruso de los informes de sus experimentos sobre la electricidad. Rodé luego hasta el llamado "Patio de Franklin", un lugar vacío en el que hoy se levantan sólo los perímetros, en metal, de las que fueron la casa y la imprenta de Franklin. Por suerte, los edificios que él hizo construir para talleres sobre la calle Market se conservan todavía, con los carteles y los nombres de época. La tumba del patriota, sencillísima, frente a la casa de reunión de los cuáqueros, fue el último hito de mi periplo iluminista en Filadelfia, aunque, a decir verdad, vi *en passant* y de afuera el gran templo masónico que se ha erigido frente a la mole del Town Hall. Seguí el consejo de Roger y rendí tributo a la ciudad que alguien llamó, en los años del gran entusiasmo y de la esperanza revolucionaria, a finales del siglo XVIII, la "capital del género humano".

Lo cierto es que me sentí respirando con calma y alegría en el embrión de mí mismo, como si soñase que es posible retomar aquel proyecto de la Ilustración, volver a empezar la construcción paciente de la benevolencia, de la solidaridad y de la sencilla felicidad humana sobre la base del saber y del goce de las delicias del arte. Roger me llama *l'ami des noirs* y dice que mi alma irá a encontrarse con las del *abbé* Grégoire y Louis-Sébastien Mercier, fundadores de una sociedad abolicionista con ese nombre antes y durante la Revolución Francesa. Pues ha sucedido que –creo habértelo contado– en los ómnibus de Los Angeles trabé pasajeras pero ricas amistades con afro-americanas: la primera fue Patricia Ann Sanders, escritora y mujer finísima; intercambiamos cartas, fotos y llamados telefónicos durante los tres meses de mi estancia en California. La segunda fue una enfermera emigrada de Cabo Verde a quien, en una parada de la *Blue Line*, le supe interpretar las tablas endiabladas de los horarios de los buses y, en recompensa, me obligó, no obstante mis protestas de que en mi cultura de origen quien paga las invitaciones es el varón, a aceptarle un *espresso* en el *Starbucks* mientras llegaba nuestro transporte. Mis reclamos de multiculturalismo de nada sirvieron, pues la caboverdina me trajo el *espresso* a la parada, en esos vasos con tapa que te permiten pasar media hora con un café. Y luego el viaje hasta el *downtown* de Los Angeles fue una delicia, porque ella me contó sobre el mar, las playas, la música, la comida y su familia en Cabo Verde, en un inglés aportuguesado que hubiera seguido escuchando toda la tarde. El tercer caso que dejó estupefacto a Roger fue el de Brian, del que sí te conté, y hubo hoy mismo una cuarta persona, una cuidadora de sala en el Museo de Arte de Filadelfia, quien consiguió que me quedase más allá de la hora de cierre del museo para terminar de ver varias salas. Lo mejor de todo es que Nima, así se llama mi benefactora, aprovechó la circunstancia de que en este día se ha inaugurado la exposición de Andrew Wyeth con bombos y platillos y *good food* para los invitados especiales. Nima no sólo me dejó ver en absoluta soledad una sala abracadabrante de Brancusi y la archifamosa de Marcel Duchamp con el "vidrio" de la *Novia* y sus pretendientes (ahora caigo, ¿no habrá en el "vidrio" una alusión a la *Odisea*? ¿Cómo no se me ocurrió en el Getty para impresionar a los colegas?); Nima me alcanzó también un plato con las exquisiteces que se consumían en el *vernissage*, de suerte que salí del museo espiritual y gastronómicamente ahíto. Cuando se entere Roger al regresar de Puerto Rico, se desmaya, aunque sospecho que, más que ser yo *l'ami des noirs*, me topo siempre con *les amis des blancs*. Mi suerte inveterada. Pero dejemos los arrestos iluministas, después de todo, mis hijos y una parte de mis alumnos me demuestran *quotidie* el fracaso de mis devaneos de educador del género humano con que me inflo cada vez que puedo.

No resta en esta carta más que la relación de la visita al Museo de Filadelfia del que te vengo escribiendo. Sería muy aburrido si bato nuevamente el parche con las enumeraciones de las obras que me han atraído más de lo corriente o en las que encontré apartamientos extraños en el estilo y los intereses de un artista. Sucede siempre lo mismo con las galerías y museos norteamericanos de pintura y escultura: los recorrés y te queda la sensación de que has visto toda la historia del arte de Occidente (muchas veces, también de Oriente, como son los casos del County Museum en Los Angeles, del Art Institute en Chicago y del que acabo de visitar en Filadelfia), más el agregado de que invariablemente tenés una decena de *highlights* (desde un Van Eyck hasta las *Grandes bañistas* de Cézanne) que te obligan a sentarte y recobrar el aliento por la emoción. Sólo insistiré en que tuve la buena fortuna de llegar a Filadelfia para la inauguración de la muestra gigante de Andrew Wyeth, quien es quizás el pintor norteamericano que más creía conocer y al que más admiro. Pero no conocía ni un 10% de lo que produjo, de lo que significa y de lo que es posible sentir frente a sus cuadros. Pocas veces en mi vida he visto una exposición parecida en cuanto al efecto conmovedor que tuvo para mí. Pedí los audífonos y escuché, sin dejar uno de lado, todos los comentarios de los curadores frente a los cuadros elegidos por ellos. Varias veces retomé el hilo de la presentación y accioné también los números correspondientes a los comentarios pensados para un público infantil. Te juro que no sé si estaré *rimbambito* o qué, pero el circuito de los niños me emocionó tanto o más que el de los adultos. Supongo que en la larga maestría de Wyeth se encuentra la razón de mi deslumbramiento. Entre paréntesis, tenemos mucho que aprender de los colegas norteamericanos en materia de organización y enseñanza verdaderamente popular en exposiciones de arte. Dos frases de Wyeth y con ellas termino:

"Pienso que es lo que uno extrae de una pintura aquello que cuenta. Hay un residuo. Una sombra invisible".

"He querido llegar a la esencia verdadera del hombre que no estaba allí". (Se refiere al lugar representado).

Mañana parto hacia Washington. Un abrazo,

G.

Filadelfia, 31 de marzo de 2006.

Carissimo,

fui en tren hasta Washington, me quedé poco tiempo, preferí volverme a Filadelfia desde donde te escribo hoy y parto mañana hacia New York. En Washington fui peatón puro y terminé muerto de cansancio. Vi buena parte de los memoriales y monumentos: el obelisco del primer presidente, la rotonda de Jefferson, el *cromlech* o lo que fuere (bastante desconcertante, con un tufillo mussoliniano de los años 30, te juro que tuve esa idea antes de leer la placa de su fundación, firmada por Georgie Boy) dedicado a los combatientes en la Segunda Guerra Mundial (¡qué oportunismo escandaloso, levantado en 2002, al socaire del patrioterismo inducido después del 9-11!) y el pórtico oblongo que aloja la estatua sedente de Abraham Lincoln (he aquí mi preferido). Ayer fue un día caluroso, los cerezos habían florecido de golpe y los bordes del *mall* imitaban una orilla de mar, en la que las flores de los árboles se confundían con una rompiente blanca o apenas rosada desde lejos. Me enteré de que los cerezos de Washington fueron un regalo de la ciudad de Tokyo en 1912. Mirá dónde se tiene la comprobación enésima de las consideraciones de Benjamin sobre el binomio inevitable de cultura y barbarie. La belleza del don gentil de 1912, convertida en la brutalidad de un ataque por sorpresa en 1941 y en la reciprocidad de las dos bombas atómicas en 1945.

Te imaginarás que quise ver en Washington la capital de un imperio. Me temo que todavía no la encontré. Es probable que deba volver para descubrirla. Primero, enunciaré una razón que, en cierto modo, enaltece a los norteamericanos. Quizá lo esplendoroso de la jornada de ayer contribuyó a que viese las multitudes de paseo por el *mall* y en pleno goce feliz de la vida, con una alegría serena que no suele ser la de las multitudes en las capitales imperiales. Es más, tengo para mí que no hay plebe en Washington, pues la que circulaba entre el Capitol Hill y el Lincoln Memorial era, en un 90%, gente llegada de todas partes de los Estados Unidos. Los washingtonianos aparecían fugazmente bajo la forma de atletas en plena carrera, con *shorts* y zapatillas, miles de personas que hacen ejercicios a través de los bosques de cerezos y que cruzan el *mall* en todas direcciones. Washington carece de plebe propia y abunda en gimnastas que se tornan burócratas o viceversa, en una metamorfosis rápida y continua. De manera que no se cumpliría en su caso el apotegma que San Jerónimo aplicó a Roma como *caput mundi*: *fex urbis, lex orbis*. La segunda razón no es enaltecedora, pero tampoco denigra a los norteamericanos. Es un hecho físico, una prueba *de facto*: los edificios monumentales, donde funcionan los ministerios que gobiernan el territorio inmenso del país y muchos lugares del globo donde se ha desplegado la fuerza militar de este pueblo, no exhiben el hormigueo clásico de gente alrededor de esos palacios administrativos de los grandes imperios modernos durante la hegemonía europea. Ignoro si es que los espacios entre edificios son tan inmensos que aquel pulular de hombres pasa inadvertido, u ocurre que la era informática ha creado acumulaciones y altas densidades invisibles, que son las puestas en juego por este imperio. No me animo a seguir adelante y extraer conclusiones a partir de estas sensaciones urbanas de un paseante ansioso. Pero el predominio de los Estados Unidos ha tendido siempre a ser ejercido desde lejos, salvo en los casos extremos de las guerras europeas, la contienda en el Pacífico, Vietnam y ahora Irak, que impusieron el envío de cientos de miles y hasta millones de hombres a ultramar. Aun en esos casos, la tendencia ha sido la de reforzar y rearmar a los aliados locales, dejar *in situ* una presencia pequeña de soldados propios, con gran capacidad de ataque, y retirar el grueso de las tropas cuanto antes. Vietnam evolucionó hacia una cosa diferente y ello podría explicar la derrota norteamericana. Irak va en camino de reproducir el marasmo vietnamita. De tal modo, el poder imperial de los Estados Unidos respondería a una fórmula nueva, en la que la ocupación física del terreno es reemplazada por la coerción a distancia que otorga la fuerza de la guerra aérea y el dominio de la red virtual creciente de las comunicaciones. Mas, mas, según decía Bodin en la respuesta al señor de Malestroit a propósito de la inflación del siglo XVI: "*Richesse, n'est que d'hommes*". Y de la existencia concreta de hombres en un lugar nace la capacidad de hacer, lo bueno y lo

Washington Monument, Washington D.C.

pésimo. Terminemos entonces. Washington me pareció el sueño paradójico de la capital de un imperio, hipertrofiado el espacio, repletos de hombres extranjeros a la ciudad los lugares del ocio y del homenaje práctico al origen iluminista de la constitución del país, vacío de hombres propios de la ciudad el sitio de ejercicio real de su poder despiadado.

De los museos de Washington, que se desenrollan en el perímetro del *mall* como si fuesen el libro continuo de la naturaleza y de las civilizaciones humanas, cuyas páginas son los edificios y cuyas palabras son los millones de objetos guardados y clasificados, no te mencionaré más que dos: la National Gallery of Art, por supuesto, y el Museo del Holocausto. De todas maneras, el proyecto de transformar los ejes de la ciudad capital, que conectan los tres poderes del gobierno de un país ahijado de la Ilustración y educado, en principio, por ella, en símbolos urbanos del conocimiento de la naturaleza y de la obra general de la civilización humana, es tal vez una marca de genio, que salva a Washington de cualquier retórica huera del pasado o de la impostura política que hoy corroe a la democracia norteamericana y que, en su cabeza física, podría alcanzar una evidencia devastadora. A la National Gallery, cabe en grado superlativo el comentario que hice, en la carta anterior, sobre los museos de los Estados Unidos en general. Diré sólo que me embriagaron cinco cuadros: el *tondo* de la *Adoración de los Magos*, pintado por Fra Angelico y Filippo Lippi, la *Ginevra de' Benci*, el muy cómico *Banquete de los dioses*, de Giovanni Bellini, el retrato del banquero Bindo Altoviti que hizo Rafael y la *Familia de Saltimbanquis* que Picasso pintó en 1905. En los antípodas de la belleza y del placer, pero en los antípodas en serio, absolutos, me animaría a decirte, hay que colocar la experiencia habida en el Museo del Holocausto. No he visitado jamás un campo de concentración. Hasta ayer, diría, porque lo sentido en ese lugar de Washington, desde que se sube al ascensor metálico desnudo hasta que se sale por debajo de una torre cubierta en su interior con las fotos de los habitantes de un *shtetl* de Europa oriental aniquilado por los nazis, lo vivido en las dos horas que dura el recorrido tal vez sea algo más devastador que la visión directa actual de un *lager* de exterminio. No estoy seguro, sin embargo. Me imagino apenas que tuve ayer una parte minúscula del dolor de corazón que tuvieron los deportados. Ojalá el sentimiento de que algo nos ha pasado, que nos ha hecho vislumbrar los sufrimientos indecibles de los otros, sea el efecto real del paso de cualquiera de mis semejantes por ese museo. Caigo en la cuenta de que mis palabras repiten las que Bill Clinton pronunció en la inauguración del lugar y que han sido inscriptas en la entrada.

Un abrazo,

G.

New York, 9 de abril de 2006.

Querido corresponsal,

now I am really in trouble. ¿Qué podré decir de esta ciudad que no haya sido dicho ya cien veces y mejor por escritores inmensos, desde Tocqueville o Emerson hasta Pablo Neruda o Marshall Berman? Mi visión está transida de citas y lugares comunes, de manera que aun si me abandono al flujo de mis sensaciones, modeladas *a priori* por los comentarios ajenos, no he de lograr la transmisión de algo fresco y novedoso. Lo mejor será entonces que me ciña a la mera crónica de nuestras visitas y vagabundeos. Puedo usar el plural ahora debido a que, como en el principio del viaje, Aurora se me ha unido desde el domingo a la mañana. Fui a buscarla bien temprano al JFK, a las cuatro y media de la madrugada, después de dormir apenas la noche del sábado por haberme encontrado con mis amigos Néstor Barrio y Fernando Marte, de paso en New York. Ellos me invitaron a cenar a la casa de Miguel, hermano de Néstor, físico y autor de modelos matemáticos financieros, quien vive a metros del Empire State Building (se ve espectacularmente iluminado ese campeón de los edificios de este mundo desde el *living* del departamento de Miguel) y allí nos quedamos hasta la medianoche. La comida y la conversación fueron los mejores *replays* en mi vida de los últimos tiempos, pero dormí muy poco, porque justo me tocó el adelanto de la hora oficial debido a la llegada de los días largos de la primavera y el verano en el hemisferio norte. Comoquiera que sea, me sentí muy feliz de re-encontrarme con mi mujer. Aurora había descansado bien en el avión y decidimos desandar el camino que yo acababa de hacer en el *airtrain* y el subterráneo desde el Jamaica Center en Queens hasta la calle 50 y la octava avenida en Manhattan, a metros del departamento que alquilamos durante estas dos semanas. La jornada estaba luminosa y agradable. Partimos enseguida hacia Central Park.

Caminamos un buen trecho entre paseantes con perros bien educados, atletas, parejas relativamente jóvenes que empujaban cochecitos de niños con una proporción asombrosa de mellizos y hasta trillizos. Aurora atribuyó ese aumento visible de embarazos múltiples a la difusión de tratamientos de fertilidad, necesarios para paliar el hecho de la eufemística y "relativa juventud" de los *partners* en el momento de decidirse por la maternidad-paternidad (todos ellos rondaban los 35-40 años o, mejor dicho, en esa franja había que colocar el promedio de sus edades reproductivas reales). No deja de ser llamativo que la tecnología médica de avanzada y los patrones más modernos de nupcialidad y natalidad, un nuevo "modelo occidental o europeo" de reproducción en términos demográficos, nos lleve a una multiparidad que nos recuerda nuestro parentesco con otros mamíferos, bella irrupción de nuestra naturaleza animal en la sociedad más artificial de la Tierra y en sus clases más cultivadas o presuntamente más al reparo de los vaivenes impuestos por la biología. Pero dejemos ese asunto que no es sino el resultado de una impresión dominguera y vayamos al tema de mi campo de saber, el arte por supuesto. Llegamos cerca del mediodía al palacio del señor Frick sobre la Quinta Avenida, frente al parque. Visitamos la residencia y la colección extraordinaria, que nos recordó mucho la Wallace Collection en Londres, a la par que enriqueció nuestra nómina de los grandes capitalistas del giro entre los siglos XIX y XX gracias a cuyas donaciones fuera de toda medida –hechas en general a las instituciones públicas de la sociedad civil más que a las organizaciones estatales (el caso del señor Smithson en Washington fue una excepción muy prematura; así y todo su legado al gobierno federal sigue administrado por un cuerpo fiduciario con una autarquía que sería inconcebible en los países de tradición estatal, latina y nacionalista a la francesa)– se construyó la inmensa base material de la civilización en los Estados Unidos: obras de arte, bibliotecas, inmuebles y fondos destinados al desarrollo de las ciencias y las humanidades. El gusto exquisito del señor Frick por la pintura europea, desde Van Eyck y Bellini hasta Boucher, Fragonard y los ingleses del siglo XVIII, se sumó al de la señora y el señor Huntington por la misma época de la historia del arte y por los grandes libros en la historia de la imprenta a ambos lados del Atlántico, al gusto de Norton Simon por los *old masters*, los impresionistas, los modernos y la escultura de la India, a la obsesión isabelina del señor Henry Clay Folger y de su esposa Emily, quienes levantaron la más completa biblioteca dedicada a la obra de Shakespeare y de sus contemporáneos a metros de la Biblioteca del Congreso en Washington. Una lista que enriqueceríamos en jornadas sucesivas, mediante nuevas visitas tan prolongadas cuanto pudimos hacer, al agregar a lo conocido la lucidez visionaria por el arte y la arquitectura de los modernos que caracterizó al señor Solomon Guggenheim, constructor del museo diseñado por Frank Lloyd Wright frente al Central Park algunas décadas después del palacete de Frick, más la pasión del señor Pierpont Morgan por los manuscritos y *editiones principes* de grandes escritores europeos y norteamericanos, exhibidos en su biblioteca de la avenida Madison en esta ciudad, más la joya de las joyas, la Public Library de New York, donde estuvimos un día entero en contemplación, más que consulta, de su fichero inabarcable. E incluimos la Public Library porque ella fue también el producto de la confluencia de tres enormes legados, que figuran inscriptos en los frisos exteriores del pórtico monumental de la biblioteca sobre la Quinta Avenida: 1) la librería y la suma de 450.000 dólares, fabulosa en 1848, cuando ambas cosas fueron entregadas a un *board* especial merced al testamento del señor John Jacob Astor; 2) la colección de libros antiguos, raros

Central Park, New York City, New York

y manuscritos, reunida por el señor James Lenox; 3) la cantidad de 2.400.000 dólares que el señor Samuel Tilden dejó a su muerte para "establecer y mantener una biblioteca libre y una sala de lectura en la ciudad de New York". En el elenco general, no quiero olvidar a Robert Lehman, quien tendría la intención de atesorar ejemplos de toda la historia del arte de Occidente y comenzó por sus extremos: la pintura toscana del *Trecento*, por un lado, los *fauves* y los expresionistas del siglo XX, por el otro, artistas que debían ubicarse a la vanguardia del movimiento moderno cuando el señor Lehman comenzó su colección. Sospecho que, en determinado momento, el caballero cayó en la cuenta de que no podría ser el dueño de una enciclopedia total del arte europeo y decidió donar cuanto había reunido al Metropolitan de New York; allí se encuentra hoy su colección extraña y refinada, en un pabellón especial que forma como una suerte de ábside en la planta basilical del museo hacia el Central Park. Todos esos señorones y sus familias tuvieron un comportamiento semejante al de los reyes europeos, pero se mostraron más grandes que los monarcas al ser más generosos y derivar la riqueza acumulada a una forma de propiedad pública al fin y al cabo, a una fundación o a una sociedad anónima que funciona como un colectivo abierto según las leyes del provecho y del mercado capitalistas. Nosotros tenemos, es verdad, algunas figuras que recordar en este aspecto: los Guerrico, Aristóbulo del Valle, Parmenio Piñero, los González Garaño, los Santamarina, los Di Tella, María Luisa Bemberg, Costantini y su loable emprendimiento del MALBA, los Campomar en el plano de la ciencia, pero pocos de los benefactores argentinos pensaron o dejaron lo necesario para sostener el esfuerzo cultural y civilizatorio merced a la creación de instituciones fiduciarias estables (salvo los Di Tella, Costantini y los Campomar: sólo recuerdo ahora estos tres casos como los que más se aproximarían al modelo norteamericano), y ello ha sido un error garrafal, síntoma tal vez de la inmadurez, de la debilidad constructiva o de la falta de autonomía de nuestro capitalismo.

Entre aquel domingo y este en el que te escribo, fuimos al MoMA, al Solomon Guggenheim y dos días enteros al Metropolitan. No te agobiaré con todo lo que vimos o nos impresionó fuertemente. Sólo te diré que el MoMA cumple a mi modo de ver un papel educador único en su género. Pues, aunque ha transcurrido ya más de un siglo desde que los post-impresionistas y los *fauves* quebraron el canon de las artes figurativas establecido a partir del Renacimiento, y deberíamos por lo tanto considerar que está ganada la batalla de las vanguardias anti-naturalistas, bien sabemos cuánta gente letrada se resiste todavía a aceptar la grandeza estética y cultural del arte moderno. Para esa gente, para el bisoño ingenuo y también para quienes creíamos haber incorporado la vanguardia a nuestros ideales, el MoMA exhibe los mayores y más conspicuos ejemplos del nuevo territorio de belleza que descubrieron y conquistaron los arquitectos, los plásticos y los diseñadores del siglo XX. El Guggenheim, por su lado (recomendaría visitarlo después del MoMA), refuerza la lección con una muestra permanente de cuadros de Kandinsky que se encuentran entre las cosas más bellas que hicimos los hombres en este mundo. Una exhibición temporaria nos enseñó quién fue el escultor David Smith, un norteamericano activo desde los 30 hasta los 60, autor de series abstractas y muy satíricas de estructuras filamentosas monumentales (es una adquisición notable de este viaje haber aprendido a descubrir lo cómico en las artes mayores y no sólo en el grabado, en la caricatura o en la ilustración, tal cual venía haciendo yo hasta ahora). Smith fundió en relieve quince medallas sobre las miserias y mentiras de la guerra, en 1940, que no creo exagerar si las coloco entre los grandes dicterios artísticos contra la violencia y la guerra, a la par de los grabados apocalípticos de Durero, del *Triunfo de la muerte* representado por Bruegel, de los grabados de Callot, de los *Desastres* de Goya y del *Sueño y mentira de Franco* realizado por Picasso. Acerca del Metropolitan, es el museo que lleva al *acmé* todas las observaciones hechas por mí hasta ahora sobre las colecciones públicas norteamericanas de arte: la sensación de que toda la historia de la civilización se encuentra físicamente presente en el edificio, la colaboración permanente de los particulares para engrosar el patrimonio, mantenerlo y exhibirlo, una libertad incomparable de circulación y uso por parte de los visitantes. Un anexo del Metropolitan es The Cloisters, ubicado al norte de Harlem, a poca distancia

Metropolitan Museum of Art, New York City, New York

del puente George Washington que une Manhattan y Nueva Jersey. Se trata de una reconstrucción singular, hecha bajo los auspicios de John Rockefeller en 1938, que ha unido grandes fragmentos, auténticos, de arquitectura medieval, entre el año 1000 y el 1500, desde portales, ventanas, columnatas de claustros hasta capillas o recintos completos, y ha plasmado con ellos un edificio de síntesis estilística de todo el Medioevo europeo, un conjunto de *cloisters* que sólo puede existir en los tiempos modernos, después del proceso de erudición, distanciamiento y análisis que la historiografía del arte llevó a cabo en los siglos XIX y XX. A pesar de ello, el resultado es fantástico: se siente allí la atmósfera propia de la espiritualidad monástica y conventual de la Alta Edad Media pero, gracias a los objetos con que los expertos del museo han "amueblado" y vestido esos espacios, se advierten también las tensiones y las luchas sociales que hicieron del núcleo de aquella sociedad una experiencia histórica de violencia y de desigualdades, basada en las instituciones de la servidumbre, del vasallaje y la guerra. A decir verdad, ahora que lo pienso mejor, Europa está sembrada de edificios religiosos en los que los estilos y las construcciones de siglos se han yuxtapuesto, igual que en The Cloisters. Recordemos el convento de Tomar, que comenzaron los Templarios en el siglo XIII en un gótico severo, continuaron los reyes de Portugal en uno de los manuelinos más caprichosos y terminó Felipe II, en riguroso palladiano, apenas se alzó con el trono portugués en 1580.

Un capítulo aparte en nuestra estancia neoyorquina es la audición musical, que intentamos cultivar en toda la riqueza y variedad que esta ciudad propone a quienquiera circule con unos dólares en el bolsillo. Son suficientes 48 dólares para conseguir dos buenas entradas, en las galerías superiores, pero con una visibilidad perfecta de todo el escenario (no como en las herraduras a la italiana del Colón y de otros teatros porteños, aunque sí como en el Argentino de La Plata, el único teatro nuestro que me parece se aproxima a los modelos norteamericanos porque, igual que el Met, por ejemplo y además de la visibilidad universal, los públicos de la platea, de los palcos y de los gallineros se pueden mezclar en los entreactos, gozar de la visión de las obras de arte en el *foyer* –dos Chagall enormes, cargados de luz, color, movimiento y felicidad, en el caso del Met– y compartir los bares). En el Metropolitan Opera House vimos un *Fidelio*, bien cantado y musicalmente perfecto, ambientado en los 30, de manera que Pizarro y los soldados tenían aspecto de esbirros fascistas; los prisioneros, de deportados, y Leonora, disfrazada de varón, me recordó al Mickey Rooney adolescente que luego se casó con Ava Gardner, pero la mujer (Erika Sunnegård), que cantaba por primera vez un papel protagónico en el Met, dio una clase de musicalidad y actuación. La escena de la mazmorra de Florestan resultó muy emocionante. En el Carnegie Hall, asistimos al recital del Kronos Quartet, un grupo de cámara que se especializa en música contemporánea de escuelas periféricas o directamente no-occidentales. Compositores de todas partes del mundo permiten arreglos de sus obras para que ese cuarteto las ejecute y las presente en New York. De tal suerte, escuchamos piezas de un lenguaje de avanzada y de un melodismo nuevo y extraño, que no sólo nos atrajo en las composiciones del finlandés Sigur Rós y del etíope Gétatchew Mékurya, sino que nos transportó en el *Cercle du Nord III*, escrito por el canadiense Derek Charke sobre la base de sonidos reales grabados y de aires de la cultura inuit. Sin embargo, el *highlight* de la noche fue un conjunto de canciones indias, compuestas por el gran autor de música de películas Rahul Burman (la banda de sonido de *La boda* fue obra suya) y cantadas por su viuda Asha Bhosle, la cantante más famosa de la India en la actualidad. Te aseguro que escuchar a esa mujer de 73 años desgranar una voz aniñada y llena de gracia para vocalizar con destreza melodías y letras de amor, de seducción, de fiesta (eso suponemos por las explicaciones previas que ella misma dio en inglés) fue una experiencia cautivante. Aurora y yo sospechamos que únicamente en New York existe la posibilidad de oír un programa tan multicultural y de semejante calidad, en una sola noche y en una sala repleta y resplandeciente. El martes, o sea pasado mañana, nos aguarda *Carmen* en el New York City Opera y el viernes, la *Misa en si menor* de Bach, en el Avery Fisher Hall, de modo que habremos conocido las tres salas del Lincoln Center, el complejo de tres edificios dedicados por entero a la música en todas sus manifestaciones (instrumentales, vocales, operísticas, ballet), erigidos a fines de los años 60, que reemplazaron y multiplicaron al Met del siglo XIX.

Y si hablamos de que New York es excepcional por las particularidades y rarezas culturales que ofrece, amén del hecho de ponerlas a disposición de los consumidores a una escala masiva sin precedentes de forma simultánea, esta misma noche al volver a casa en el subte nos ocurrió un episodio trivial que el humor de Aurora supo convertir en una prueba desopilante de la plétora neoyorquina. Estábamos cansados por demás tras haber caminado unas setenta cuadras entre nuestro departamento en 49 y 7, la calle Delancey en el *low, low* Manhattan y de vuelta hasta Union Square, excursión de la que te contaré los detalles en esta misma carta. Decidimos tomar el subte que sale del Barrio Chino y se dirige al West Side. Aurora consiguió sentarse detrás de un matrimonio de chinos a quienes no podía ver pero sí escuchar. Al cabo de dos estaciones, me dijo: "El señor chino no para de hablar, es agotador, pero la señora parece muda". Salí de mi distracción y me puse a observar la escena. En efecto, el hombre hablaba sin respiro y su mujer lo observaba con una expresión mezcla de ternura, paciencia y resignación. "La señora tiene la sonrisa y la calma de un *boddishatva*, la encarnación viviente de Buda que vive entre nosotros por cada generación humana", comenté. A lo que Aurora replicó: "Esta ciudad es increíble, hasta eso te proporciona, la posibilidad de conocer a un *boddishatva* durante un viaje en subte. No tiene parangón". Me sentía sin fuerzas, pero me eché a reír como hacía meses que no ocurría. Tanto me descuajeringaba que se me llenaron los ojos de lágrimas y logré algo muy raro: llamar la atención de los neoyorquinos en el subte, que no entendían la causa de mi hilaridad pero que también empezaron a reírse de verme tan contorsionado por las carcajadas. El tren llegó a la 51 y tuvimos que bajar. En el instante en el que atravesábamos la puerta del convoy, la señora china reaccionó, dijo unas palabras y bostezó. Difícilmente fuera un *boddishatva*.

Un día de la semana lo consagramos a visitar los *headquarters* de las Naciones Unidas. Ambos nos acordábamos de los noticieros y las películas documentales sobre el Palacio de Vidrio en los 50 y los 60, donde se mostraban las colas y colas de gente que visitaba el sitio y pugnaba por espiar las reuniones de diplomáticos y gobernantes invitados, que se suponían trascendentales para la historia del mundo contemporáneo. Nuestra desilusión fue enorme. No tuvimos que hacer ni una mínima cola para atravesar los controles de la seguridad, llegar al espacio de comunicación entre los cuatro edificios de los *headquarters* y formar un grupo muy reducido de personas que, conducido por una muchacha cubana muy avispada, dueña de un inglés fluido y perfecto, inició *in continenti* la visita. Entramos al Consejo de Seguridad, al Consejo Económico y Social, atravesamos los corredores con obras de arte que han regalado países miembros de la organización y la galería sobre las armas de destrucción masiva (se exhiben allí restos de Hiroshima y Nagasaki, testimonios de la guerra química, maquetas de minas personales, fotos de las mutilaciones atroces que provocan) por cuya prohibición trabajan las Naciones Unidas. Finalmente, ingresamos al recinto de la Asamblea General. Nos apenó el contraste entre el entusiasmo de nuestra guía cubana y la soledad de esos ambientes, síntoma de la decadencia política del proyecto, si no de "gobierno universal", de autoridad arbitral del mundo que concibieron los vencedores de la Segunda Guerra. Tené en cuenta que, a mediados de los 80 todavía, Nancy Reagan regaló a la ONU un mosaico de grandes dimensiones, hecho en Italia, que representa una reunión pacífica de personas de todas las razas y religiones de la Tierra, síntoma de que aún la primera potencia mundial, bajo un gobierno republicano, depositaba sus esperanzas y aceptaba el papel constructivo de las Naciones Unidas. Ahora, en cambio, después de las revelaciones de los diálogos confidenciales habidos entre Bush y Blair en febrero de 2003, a menos de dos meses del comienzo de la guerra en Irak, bien sabemos hasta qué punto Georgie Boy y la nueva administración republicana desprecian cualquier convalidación o intervención de este foro. En la misma jornada de nuestra incursión nostálgica a las Naciones Unidas, el *New York Times* publicó, como lo hace todos los días, la lista de los muertos norteamericanos en Irak, pero esa vez sucedió que el número de caídos en combate fue uno de los más elevados de toda la guerra: 15 personas de las cuales nueve eran menores de 25 años, y las restantes, menores de 34. Una catástrofe, y lo peor fue que los noticieros de televisión o bien no propalaron la noticia (ejemplo: la cadena de la Fox), o bien la pasaron en los letreros inferiores de las *breaking news* sin comentarios (ejemplo: la CNN). Visto y considerando que no hay sino un 10% de la población que lee regularmente los diarios y de estos, no todos se hicieron eco del asunto con el detalle que encontré en el *New York Times*, la conclusión podría ser que una mayoría aplastante del país se atiene a la versión triunfalista transmitida por Rumsfeld y por el propio presidente, quien apareció dos días más tarde, en una conferencia de prensa, para explicar de qué manera Estados Unidos cumple sus objetivos en Irak y se encuentra camino a una victoria contundente. Sumale a todo ello el globo de ensayo que largaron desde la Casa Blanca, aun en contra de la opinión mayoritaria de los expertos en el Pentágono, de un posible ataque con armas tácticas nucleares a las instalaciones atómicas de Irán, y tendrás una idea del grado de egolatría militarista de la administración actual. (Claro que es probable que les salga el tiro por la culata, pues un número muy alto de generales retirados ha comenzado a pronunciarse a favor de un despido urgente de Rumsfeld del Pentágono). Por otra parte, para agregarse a los negocios fraudulentos de Halliburton y otras compañías con las obras ficticias de "reconstrucción" industrial, urbana y cultural en Irak (uno de los mayores éxitos en la materia ha sido un *software* completísimo destinado a inventariar y rescatar el patrimonio arqueológico del Museo de Bagdad, si bien en Bagdad hay dos horas de corriente eléctrica durante los mejores días del suministro), esta misma semana sale a la luz el compromiso explícito de varias empresas de fuste, como IT&T, con el programa de espionaje interno lanzado por la CIA y ordenado por el presidente, contra todas las enmiendas garantistas de la constitución estadounidense y los límites al poder del Ejecutivo que aquí existen incluso en tiempos de guerra. La otra cara del capitalismo, entonces, opuesta a la de los grandes benefactores, estetas y bibliófilos, que te enumeré unos cuantos parágrafos más arriba. Cara auténtica, quizá, la de la guerra y la vigilancia, máscara, en cambio, la de la filantropía. Mucho me temo que no haya cabida ni siquiera para el optimismo que significaría una ambigüedad.

No obstante, New York tiene también ese carácter, el de hipertrofiar las ambivalencias de la sociedad industrial y del provecho privado, pues hoy el tráfago del China Town, de la Little Italy, el absurdo gracejo del Puck vestido de *dandy* a la moderna en el Puck Building y el oasis de la sinagoga vieja en *Eldridge Street*, nos sumergieron nuevamente en el encandilamiento y la borrachera de creernos en el lugar del desarrollo visible y simultáneo de todas las posibilidades de lo humano. Agréguese a lo enumerado el haber asistido a la Pet's Parade sobre Broadway, frente a las tiendas Macy's, y la biología misma terminó por asociarse a aquel *aleph* antropológico. Claro que el delirio de la Pet's Parade no es responsabilidad de la naturaleza y menos de los pobres animales, que se ven sometidos al ridículo imaginado por estos majaretas incurables. Figurate que había allí una jovencita disfrazada de princesa con un sapo coronado en la mano, clasificado en el *tertium genus* de las *feature creatures*, porque las otras dos categorías son las de perros y gatos. Otro desborde aplicado a las infortunadas *creatures* fue la puerca vestida de rosa, con cartera de Gucci y un sombrero de flores, que hicieron subir por una rampita *ad hoc* con cierta dificultad, pero la infeliz, cuando se la quiso bajar de la tarima, empezó a gruñir y gritar tanto que paró el tránsito en dos cuadras a la redonda. El conductor de la Parade, un tipo muy simpático disfrazado de abejorro, no pudo mantener el equilibrio dentro de esa especie de trompo con aguijón en el que se encontraba enfundado, y así rodó en el escenario. No vayas a pensar que los dueños de mascotas tradicionales fueron menos excéntricos: un perro salchicha apareció disfrazado de *hot dog* en medio de dos panes gigantes de felpa y arrastrando un pedido urgente de auxilio: *Help! They want to eat me!!*, un gran danés salió a escena como reina de las flores y un bull-dog se pavoneó con el atuendo de Gary Cooper en *A la hora señalada*. "*Oh, Lord, where have you bought this adorable suit for your pet?*", preguntaba el abejorro, y la respuesta era invariablemente: "*In Macy's, of course*". Luego, en efecto, dentro de la tienda, me resulta imposible describir lo que eran las montañas de accesorios para mascotas y los arreglos florales gigantescos (conmemoración evidente de la llegada de la primavera y de la semana de las flores), recorridos por autómatas con el cuerpo

Desfile de mascotas, New York City, New York

de colibríes, de abejas, mariposas, cascarudos luminosos y otros insectos. Mi cerebro, *poverello, si riduce ad impazzar* frente a las privaciones sufridas por esta nación teóricamente en guerra.

Un abrazo,

Gastón

New York, 15 de abril de 2006.

Carissimo,

esta es mi última carta desde el país de los ohlones y los pascatas. Intentaré retomar la crónica y, luego, hacer una síntesis de mis aprendizajes y transformaciones en los cuatro meses que aquí he pasado. El lunes 10 de abril concurrimos a la marcha organizada por las asociaciones de inmigrantes en Broadway, frente al *City Hall*, para protestar en contra de los proyectos de ley federal que intentan impedir el blanqueo de la inmigración clandestina. El asunto parece un *loop*, un nudo marinero algo difícil de entender, pero, esta vez, *believe it or not*, Georgie Boy milita del lado de los buenos, digamos así. Porque Bush quiere y necesita, probablemente por razones electorales, una legislación que permita salir de la ilegalidad a millones de inmigrantes latinos, asiáticos y europeos de la antigua Unión Soviética, quienes trabajan en los Estados Unidos, quienes podrían acceder a la ciudadanía y, alejados de sus países de origen por la pobreza que ellos mismos atribuyen a las políticas colectivistas aplicadas allí en la segunda mitad del siglo XX, se convertirían de seguro en una fuerza conservadora imbatible. Por supuesto, los progresistas no pueden permitirse sino apoyar con entusiasmo la protesta de los inmigrantes contra los elementos más reaccionarios y ultramontanos del partido republicano, a pesar de la inseguridad que ellos sienten respecto de los efectos políticos duraderos de una incorporación masiva de los inmigrantes actuales al electorado. Lo cierto es que vimos aquella tarde del día 10 una marea de gente, mexicanos, centroamericanos y ecuatorianos en su mayor parte, que llevaba y enarbolaba miles de banderas de los Estados Unidos junto a las de las naciones latinoamericanas. Descubrimos algunas blanquicelestes e intentamos socializar con los compatriotas, pero, a decir verdad, nos fue mejor con los uruguayos, portadores de termos y mates, tocados con sombreros muy estrafalarios de pájaros y flores, a los que, tras habernos disculpado muy sinceramente por el papelón (por no decir torpeza y tragedia) de las papeleras, fotografiamos y nos unimos para escuchar algunos discursos. La vimos a Hillary Clinton, en una de las pantallas de TV que jalonaban la Broadway. Hillary habló muy bien acerca del entretejido del trabajo duro de los inmigrantes en la vida cotidiana de todas las familias formadas por ciudadanos estadounidenses desde hace muchas generaciones. Algo asombroso fue que no escuchásemos un solo insulto, un solo improperio contra nadie y eso que se trataba de decenas de miles de manifestantes. ¿Te imaginás en la Argentina lo que habría sido un acto similar, si en Perolandia hasta los cánticos programados incluyen de rigor una puteada? Hablaron también legisladores del Estado de New York y del Capitolio en Washington, que pasaron del castellano al inglés o del inglés al chino con soltura, y demostraron así una superioridad cultural marcada respecto de sus colegas WASP del presente, ignorantes por lo general de cualquier otra lengua que no sea la inglesa.

El martes 11 fuimos al Museo de Historia Natural, una visita que no teníamos planeada y que nos atrapó durante horas. Empezamos con un *show* sobre el *big bang* y unas películas acerca de los agujeros negros y sus singularidades temporo-espaciales, seguimos con la vida de las estrellas, su clasificación y su destino, pasamos a los planetas y terminamos en la Tierra, cuya evolución geológica y biológica contemplamos transcurrir. El Museo está luego organizado a partir de las salas de los reptiles y mamíferos prehistóricos, de los pájaros actuales de todos los continentes y de los grandes mamíferos del presente. La sala de la fauna africana impresiona más que las otras, con una manada de elefantes tamaño natural en el centro y las vitrinas pobladas por los rinocerontes, los okapis, los antílopes gigantescos. Hay también una sección importantísima dedicada a la antropología de la América prehispánica, de África, de Asia y de Oceanía, pero la idea que gobierna el conjunto es todavía la del positivismo evolucionista de fines del siglo XIX, porque no hay la mínima mención a los pueblos de Europa y a sus herederos en América o en Australia y Nueva Zelanda, un detalle significativo que indicaría que, a criterio de los organizadores de la colección, el fenómeno humano euro-atlántico es el único que habría alcanzado el estadio de la civilización y, por ello, se ubicaría más allá de la etnología, separado por completo de la "naturaleza", en tanto que aun las grandes civilizaciones de Asia, como la India y la China, no habrían sido plenamente tales y en ellas quedaría un vínculo con lo biológico que sólo los europeos y sus descendientes habrían superado. Inaceptable, más aun en el país donde han trabajado Boas, Malinowski, Geertz y otros grandes antropólogos. Aunque me cueste creerlo, debo advertir que en los Estados Unidos, en el campo de las ciencias humanas (no en el de las ciencias físicas y naturales, según lo atestigua la actualización pasmosa de los pabellones de astronomía y geología que acabo de describirte), todavía existe el divorcio entre la museología y la *scholarship* que tanto nos afecta en la Argentina y que, quizás, ha comenzado a desvanecerse en nuestro país con la designación de Pepe Pérez Gollán al frente del Museo Histórico Nacional. Otro detalle significativo del Museo de Historia Natural de New York es la gran galería de ingreso puesta bajo el patronazgo de Teddy Roosevelt, porque ese presidente fue el inspirador de la institución y de sus programas de descubrimiento, que no han cesado hasta ahora. Pudimos leer allí sus discursos sobre la importancia del estudio científico de los tres reinos, no sólo para lograr un dominio material creciente del mundo físico por parte de los hombres, sino para la mera satisfacción de nuestra curiosidad filosófica y nuestras ansias no necesariamente prácticas de conocer. En la escalinata exterior del Museo, hacia el Central Park, una estatua ecuestre de Teddy, acompañada por dos figuras alegóricas, refuerza la noción de un heroísmo peculiar, asentado sobre el saber y la ciencia, comparable a las glorias militares. Algo semejante al ideal doble de las armas y las letras que cultivaron los nobles del siglo XVI y que Cervantes llevó a su culminación.

Desde el miércoles hasta ayer recorrimos las periferias y las afueras de Manhattan. Primero, Harlem, donde Claudio Benzecry –un ex alumno mío muy gentil que vive aquí desde hace seis años– nos guió para que almorzásemos como los dioses en un restaurante de comida sureña, conociésemos la catedral neogótica de San Juan el Divino, el *campus* de la Universidad de Columbia con sus dos grandes bibliotecas (confirmé por enésima vez la centralidad asignada a los libros, las revistas y las fuentes más modernas de la información en la enseñanza universitaria de los Estados Unidos), la calle 125 y el teatro Apollo; la calle Lenox, donde vimos las casas con pórticos, de tres y cuatro pisos, con escaleras de incendio en la fachada, típicas de este distrito. Me animaría a decir que un buen tercio de esas viviendas colectivas han sido tapiadas, de manera que es de suponer que Harlem está pasando también por un proceso de desplazamiento de su población tradicional, negros pobres o de clase media baja, como ocurre en otros barrios de New York, desde el *low* Manhattan hasta Queens. El hecho de que los dueños mantengan tapiados esos edificios por largo tiempo, uno o dos años a veces, indicaría que su expectativa es firme en cuanto a que un futuro no muy lejano les deparará una valorización exponencial de las propiedades y de sus rentas. Nuestra incursión a Brooklyn nos permitió ver, en la zona de la Promenade sobre el East River, desde donde se tienen las vistas más extraordinarias de Manhattan al otro lado del río, la fase más adelantada de aquel proceso de re-amortización inmobiliaria: las Brooklyn Heights, que así se llama el lugar, son hoy un barrio elegante, pintoresco, en los antípodas de la sordidez que el cine nos ha hecho asociar con Brooklyn desde los años 40. Claudio, quien por algo es sociólogo, nos explicó que la nueva vida neoyorquina, de apariencia tan segura y libre, más que a la "tolerancia cero" de Giuliani, se debe a dos factores: el pleno empleo de sus habitantes y la expulsión de los sectores más pobres (y socialmente "peligrosos", en consecuencia) a unas distancias de los grandes centros que los hacen inaccesibles a los agresores potenciales del orden social.

Cathedral of St. John the Divine, Harlem, New York City, New York

Brooklyn Bridge, New York City, New York

Hoy, sábado, volvimos al Central Park. El clima está muy agradable y necesitábamos compensar con un paseo tranquilo el agotamiento y el agobio que New York nos produjo estos días. Por suerte, anoche asistimos al concierto coral del Avery Fisher Hall, donde escuchamos la *Misa* de Bach. El *Dona nobis pacem* del final nos pareció dirigido a nosotros. En todo caso, esperamos que la mayoría del pueblo norteamericano acoja pronto el mensaje y recupere su capacidad histórica de reacción contra todos los despotismos. Llegó la hora de la síntesis final del viaje. Pocas excursiones fuera de la Argentina que yo haya hecho antes han tenido el efecto psicológico y cultural que ejercieron sobre mí los cuatro meses vividos en los Estados Unidos. Tan solo la estancia de mi juventud en Italia durante catorce meses, con toda mi familia en los tiempos de la dictadura, cambió mi visión de las realidades del mundo, desvió mis perspectivas habituales y produjo apartamientos de mis aproximaciones a las cosas en un grado mayor que lo que lo ha hecho mi experiencia de vida y trabajo en este país. Me siento una persona distinta, más comprensiva de las complejidades sociales y culturales ajenas, pero mucho más desorientada en torno a cuánto debemos (legados enaltecedores o maldiciones) y a cuánto podemos esperar (acumulación creciente de conocimiento y deleite o guerra, devastación y despojo) del capitalismo, lo cual equivale a decir, de los Estados Unidos. Sospecho que esta nación nunca podrá ser otra cosa sino una sociedad capitalista; cualquier evolución hacia formas, aunque fuera ligeras, a la escandinava, de socialismo probablemente la haría pedazos y provocaría un estallido peor que el de la Unión Soviética en 1991. Bancos privados, seguros, bolsas, inversiones autónomas de decenas de millones de individuos no infiltran ni impregnan el tejido social del país, son su sociedad civil misma. Si los Estados Unidos superasen la crisis moral y política en que los ha sumido el gobierno republicano del segundo Bush, eso significaría que el capitalismo todavía contiene fuerzas capaces de acrecentar el bienestar de la humanidad. Si el pueblo norteamericano sigue preso del atroz espejismo belicista y paranoide, alimentado por esta camarilla ignorante que lo rige, habrá acabado el ciclo de la coincidencia del desarrollo capitalista y el desenvolvimiento de las libertades y este sistema socioeconómico tal vez derive hacia un despotismo cuya radicalidad aún somos incapaces de imaginar. (Tuve ocasión de escuchar un anuncio del señor Bush desde los jardines de la Casa Blanca hace pocos días, acerca de lo bien que evoluciona la situación política y militar en Irak. Quedé estupefacto porque, cómo hablará ese caballero el inglés, que hasta yo, con mi pobre dominio de esta lengua, me di cuenta de que su inglés es una calamidad. Al cabo de una frase, el sujeto de la oración ha desaparecido, de modo que, si se trata de un contrapunto entre el *we* –los norteamericanos– y el *they* –los terroristas–, dado que la inflexión del verbo *to be* es en ambos casos *are*, sucede algo fantástico, no sabemos si cada nuevo *are* nos remite a los norteamericanos en Irak o a los terroristas que ellos dicen combatir. Increíble la autonomía reveladora del lenguaje que instala esa confusión y la convierte en identificación sintomática. Pero sospecho que el asno de Bush no se ha percatado de la sutileza semiótica).

Vuelvo a mis hipótesis generales. Supongamos que me atengo al horizonte de la *scholarship,* que es el que más frecuenté y donde hice buenos amigos. Encontré en él gente tan amable, culta y abierta que podría augurarle lo mejor en el caso de que sus actitudes y puntos de vista siguieran haciendo escuela en los Estados Unidos, tal cual lo hicieron hasta la administración del señor Carter y, en buena medida, aparentaron resucitar en los años del inefable Bill. Como argentino, diría dos cosas para terminar: 1) el señor Kirchner no está tan mal, sale favorecido de cualquier comparación con los que gobiernan aquí, a pesar de que hay uno de sus ministros que se asemeja a Rumsfeld en cuanto a las obscenidades conceptuales que es capaz de desplegar frente a la prensa (Kirchner incluso sale airoso de un parangón con el tándem Chirac-Sarkozy o con los impresentables de Aznar y Berlusconi); 2) lo peor de la Argentina es la evolución de su sistema universitario y la imposibilidad de contar con bibliotecas para la ilustración del pueblo, el avance del conocimiento y de las humanidades. Caí en la cuenta de que, en mi país, trabajo y me apasiono en el peor de los lugares institucionales, si bien la UNSAM, que adopté definitivamente después de haber abandonado la UBA, podría ser una muestra de algo nuevo y creativo a punto de asomar en ese terreno. Buena parte de la responsabilidad ha de ser también mía. Veré si soy capaz de lograr algo, en mi pequeño medio, para cambiar el rumbo de la universidad y contribuir a formar una biblioteca que se aproxime a los lugares donde tuve la dicha de trabajar estos meses.

No quisiera terminar este ciclo de cartas norteamericanas sin recordar a mi asistente en el Instituto Getty, la joven bengalí Priyanka Basu, quien me ayudó más allá de lo imaginable con mi investigación y con mi inglés. Vaya además mi agradecimiento a todos los *scholars* que estuvieron conmigo durante el invierno boreal de 2006 en la colina del Getty. De ellos aprendí cosas magníficas: de Alain Schnapp, la importancia de la experiencia arqueológica para la reconstrucción del propio pasado en las civilizaciones pre-modernas y no europeas; de Ann Adams, las corrientes actuales de interpretación de la pintura holandesa del siglo XVII; de Stephen Jaeger, su noción poderosa de literatura y arte carismáticos; de Charles Stewart, el modo antropológico, al mismo tiempo universal y particularizado, de tratar el arduo problema de los sueños en la cultura; de Susan Siegfried, una mínima parte de su conocimiento vastísimo acerca de Ingres y el dibujo; de Jerzy Miziolek, la presencia perturbadora y deslumbrante de las ideas y las obras del Renacimiento italiano en la Polonia del siglo XVI; de Robin Cormack, la vida latente de la Antigüedad en los íconos cristianos producidos en el Medioevo bizantino; de Frederick Bohrer, los descubrimientos insospechados que uno puede hacer con solo mirar atentamente una fotografía; de Pamela Long y de Veronica della Dora, la manera de sondear un mapa antiguo y poner sus datos en paralelo con los del mundo de la escritura y la imagen artística; de Ian Balfour, las transformaciones del concepto de lo sublime antes y después del debate estético acaecido en la segunda mitad del siglo XVIII; de Irène Aghion, la erudición y la pasión que es necesario aplicar en el estudio de las colecciones arqueológicas, artísticas y naturales de la modernidad temprana; de Brigitte Bourgeois, capítulos fundamentales que yo ignoraba en la historia del *Laocoonte*; de Sandy Heslop, una suerte de Curtius de las artes visuales, la densidad del saber sobre la poesía y la filosofía de los paganos en la Inglaterra de los Plantagenet;

de Raphael Cuir, la aproximación estética a la revolución de la ciencia médica en los siglos XVI y XVII; de Yannis Hamilakis, las formas de revelar la cultura poética que ha impregnado el trabajo de la arqueología desde los comienzos mismos de esa disciplina; de Angela Windholz, la mirada joven sobre la literatura artística del Renacimiento, que inicia un capítulo inédito de la historiografía equiparable a los que escribieron Julius Schlosser y Anthony Blunt; de Jonathan Alexander, el mundo de las miniaturas en textos de la tradición humanística del *Quattrocento*; de Thomas Crow y Charles Salas, por fin, la ideación y organización de un tema *vexatus et novissimus* al mismo tiempo –*The Persistence of Antiquity*– para debatir desde perspectivas tan múltiples como pocas cabezas son capaces, no ya de abrazar, sino de concebir siquiera.

Un abrazo grande y hasta mañana,

G.

Esta edición de 2000 ejemplares se terminó de imprimir
en Grafinor, Lamadrid 1576, Villa Ballester, Buenos Aires,
en el mes de enero de 2008.